営業のゲーム化で業績を上げる

成果に直結するゲーミフィケーションの実践ノウハウ

N-コンサルティング代表取締役 長尾一洋
N-コンサルティング教育研修部長 清永健一

実務教育出版

はじめに

ゲームの持つ力を仕事に活かすゲーミフィケーションについて、前著『「仕事のゲーム化」でやる気モードに変える』（実務教育出版）に書いてから、それまで以上に仕事のゲーム化についてのコンサルティングや研修、セミナーの依頼が増えました。

やはりゲームの力は強力ですね。仕事に応用されると、停滞していた組織が動き出し、やる気がなさそうだった人材も新しいチャレンジに取り組み始めたといった事例が、ドッと増えました。最初はしぶしぶとでも始めてみると、ついやってしまう、ついがんばってしまうというゲームの魔力が効いてくるので、いつもより成果が出ることも多くなり、そうすると「やればできる」という自信が湧いてきて、またついがんばってしまうという善循環が起こってくるのです。

この仕事のゲーム化を特に営業部門、営業活動、営業担当者の育成や活性化に活かそうというのが本書の狙いです。

どんな職種、部署であっても、ゲーム化は有効なのですが、特に営業においてゲーム化の効果が高いのです。その理由は4つあります。

1つ目は、営業は、「自分の思うように動いてくれない顧客を相手にしなければならない」

2つ目は、「社外に出たら単独行動で、仕事の進め方を自分で決めなければならない」

３つ目は、「新規開拓や新商材提案など、常に新しい取り組みを行わなければならない」

４つ目は、「がんばらせるために歩合（金銭的報酬）が用意されていることがある」

というものです。

要するに、営業という仕事は、社外に出て、思うにまかせない顧客を相手に、自律的かつ自発的に動きながら、慣れないことや新しいことに挑戦し続けなければならないという難易度の高い仕事なので、つい「つらい」「きつい」「苦しい」ものだとネガティブにとらえてしまいます。そこに歩合給（業績連動給）のような外発的動機付けが用意されているがゆえに、中途半端な「ゲーム化」状態となって、かえって創造性を発揮するための「内発的動機付け」を失いやすいということなのです。

営業には正しいゲーム化、よく考えられたゲーム化が必要であるというのが、私たちが本書で訴えたいことです。

逆に言えば、正しい営業のゲーム化ができれば、ネガティブな仕事がポジティブなものに変わり、まさに業績に直結するカタチで成果が出るということが言えます。

前著で述べた「仕事のゲーム化」の基本を踏まえながら、本書では営業部門特有の事情を勘案したゲーム化手法やゲーム化事例をご紹介します。私たちが多くの企業で実践し、実地体験してきた生々しい事例であり、そこで培った実践ノウハウです。

ぜひ、多くの企業で「営業のゲーム化」に取り組んでいただき、仕事を楽しみながら、業績アップを実現していただきたいと思います。

2014年4月

長尾一洋

営業のゲーム化で業績を上げる　目次

プロローグ

営業こそゲーム化すべし……13

PART 1

「営業のゲーム化」成功のポイント……41

PART 2

成果を生み出す「業績アップゲーム」……91

PART 3

自己成長を促す「スキルアップゲーム」……131

PART 4

他者協力意識を醸成する「チームワークゲーム」

エピローグ

ゲーム化の限界を知った上でそれでも営業を楽しむ

プロローグ
営業こそゲーム化すべし

営業という仕事の難易度が高まっている

なぜ営業をゲーム化するべきなのか？　営業をゲーム化すると何がよくなるのか？　営業のゲーム化とはどのように行えばよいのか？　を考えていく前に、少しだけ「営業」という仕事そのものについて考えてみましょう。

私たちＮＩコンサルティングでは、さまざまな企業に経営コンサルティングを行っており、営業という仕事についても深く考える機会が数多くあるのですが、営業という仕事の難易度がどんどん高まっていることを肌で強く感じています。

少し振り返ってみると、１９８０年代までの営業は、まさしくがんばれば売れる時代で、営業という仕事は、「行動重視型」でした。訪問件数が売上に直結していたので、いかに効率よく営業活動をするかということが関心事でした。

日本が豊かになるにつれ、少しずつ顧客ニーズが多様化し、顧客が何を求めているのかがわかりにくくなってきましたが、自社の商品カタログを広げながら、「何が必要ですか？」、「何かお困りごとはありませんか？」と聞いて回る「御用聞き型」がまだ通用していました。

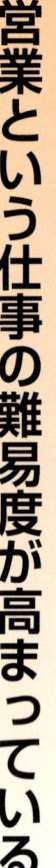

90年代に入り、バブルが弾けると、受け身の営業では売れなくなり、よりいっそう顧客ニーズの把握がむずかしくなりました。そこで、営業マンがヒアリングと称して問題や課題を顧客に聞き、その内容を提案書にまとめてプレゼンする「提案型営業」へと移っていきました。「問題解決型営業」と言ってもいいでしょう。「モノ」ではなく「コト」を売るといったことがさかんに言われるようになった時代です。

2000年代に入ると、人口減少や環境問題、さらに長引く景気低迷などで先行きが不透明となり、顧客自身が進むべき道、目指す姿、手に入れたいモノを見失う状況となり、問題や課題の把握がむずかしくなりました。問題が何かもわからなければ、解決策も提示することはできなくなり、「提案型営業」や「問題解決型営業」では対処がむずかしくなってきました。

また、インターネットの普及による影響もあります。インターネットの普及により買い手は、これまで営業マンや情報誌などから収集せざるを得なかった情報を、自分で簡単に手に入れることができるようになったため、売り手側から提供される情報に対して非常にシビアになってきました。私たちは、仕事柄、数多くの営業マンから相談を受けますが、「それくらいの情報であれば、インターネットで収集できるので、わざわざ訪問してもらわなくてもいい」とか、「足繁く通ってくれなくても、必要な時に声をかけるから」、「もううちには直接訪問してくれなくていいから、その分、価格を下げてくれ」と言われてしまって困惑する営業マンが増えています。

確かに似たような機能や仕様の商品が、世界中に溢れています。個人レベルでWebサイトにアクセスして、世界中の商品を手に入れることができる時代です。簡単な問題や、すでに明確になっている課題の解決方法は検索すれば出てくるのです。身近にいてフットワークよく商品や情報を提供するだけの営業活動は、もはや用済みになってきているのです。

こうして営業という仕事の変化を見てみると、「とにかくがんばって回ろう」「足で稼げ！」と言っていた行動重視型の時代とは隔世の感があります。営業マンに求められるスキルや能力も行動重視型の時代とは比較にならないほど多くなり、営業という仕事の難易度が高まっているのです。

顧客の都合を無視して売り込んでも疲弊してしまう

営業という仕事の難易度が上がってきたことはだれの眼にも明らかなのですが、ではどのように対応していけばよいかという質問に、明確な答えを持っている人はほとんどいません。すると営業部のフロアに、古き良き行動重視型営業の時代の遺産のようなセリフが舞い戻ってくることになります。

「目標に達していないのだから、もっと回れ、もっと電話をかけろ」

上司にこう言われてがんばって足で稼いでいる営業マンも多いのではないでしょうか。上司の方は、ついついこうして部下に発破をかけているかもしれません。しかし、ではいったい何件回ればよいのでしょうか。寝ずに回っても1か月は720時間（1日24時間×30日）しかないのだから、がんばるにも限界があります。

がんばっても売れないとなると、仕方なく月間ノルマ達成のために、半ば強引に商品を売りつけるようなこともあるかもしれません。目先の受注に目がくらんで、赤字すれすれの値引きもするかもしれません。ヘタをすると赤字受注……。こんな方法で今月のノルマを達成できても、来月はまたゼロからのスタートです。こんなことをいつまでも繰り返していて、本当によいのでしょうか。営業マンが疲弊するだけでなく、顧客も離れていくことになってしまいます。

勉強熱心な営業マンの中には、営業トークを磨いたり、心理学を取り入れたりして、売上を伸ばそうとする人もいます。書店には、「顧客にNOと言わせない」、「魔法の営業トーク」、「心理学で10倍売れる」といった刺激的なタイトルの本がたくさん並んでいます。

勉強熱心なのは悪いことではありません。しかし、小手先の魔法はいずれ必ず解けます。顧客ニーズに合っていないものや欲しくないものを、小手先の魔法や巧みな営業トークで売りつければ、魔法が解けた顧客は後悔するのではないでしょうか。「だまされた」と怒り出して、返品やクレームといったトラブルに発展することも考えられます。がんばったのに顧客から逃げられてしまう。

そして、営業マンは疲弊していきます。「もう、営業なんかイヤだ」そう思いながら外回りを続けている人も多いかもしれません。現場の営業マンはつらい状況におかれているのです。

営業をゲーム化する4つの理由

このような状況におかれた営業マンは、営業という仕事を「つらい」「きつい」「苦しい」ものだと感じるようになります。

それで、心が折れてしまったり、へこたれて嫌々仕事をしていたり、退職してしまったりという人も少なくありません。

ではどうすればよいのでしょうか。

営業をゲーム化すればよいのです。

営業が「つらい」「きつい」「苦しい」とネガティブにとらえられやすいのには、4つの理由があるからだと考えられます。「はじめに」でも述べましたが、

1つ目は、営業は、「自分の思うように動いてくれない顧客を相手にしなければならない」

2つ目は、「社外に出たら単独行動で、仕事の進め方を自分で決めなければならない」

3つ目は、新規開拓や新商材提案など、常に「新しい取り組みを行わなければならない」

4つ目は、「がんばらせるために歩合（金銭的報酬）が用意されていることがある」というものです。

そして、この4つの理由こそが、営業をゲーム化すべきである理由でもあるのです。

順に見ていきましょう。

営業という仕事の4つの特徴

営業という仕事の特徴の1つ目は、「自分の思うように動いてくれない顧客を相手にしなければならない」という点です。

設計部門なら図面を、経理部門なら数字を、製造部門ならモノを相手にしますが、営業は、お客様という生身の人間を相手にします。しかも、このお客様は、わがままで、営業マンの思うように動いてはくれません。時には無理難題も要求してきます。

モノが相手なら、がんばればがんばったなりの成果が出るでしょう。パン粉をこねれば、パン生地ができ、パン生地を焼けば、パンができ上がります。がんばればたくさんのパンが焼けます。

数字が相手なら、1＋1＝2であって、勝手に3になったり4になったりはしません。間違えればやり直せばいいだけです。数字が怒ったりはしません。

ところが、生身のお客様は、勝手気ままなことを言い、こねて形を整えたと思ったら、それではイヤだと言い出し、焼こうと思ったら、体調が悪いから熱いのは困ると文句を言います。おまけに、1＋1しかしていないのに、5にしろとか10にしろとか要求してきたりもします。もし、提示した数字に間違いがあったりしたら、すごい剣幕で怒られたりもします。

これは大変です。社内にも人間関係はあるけれども、お客様との人間関係はまた別格のむずかしさがあります。

そして、2つ目の特徴として「社外に出たら単独行動で、仕事の進め方を自分で決めなければならない」という点があります。

営業以外の業務は、社内にいて他のメンバーが傍《そば》にいる中で業務を進めていくことが多いですから、トラブルが起こったり判断に迷うことがあれば、周囲の人に容易に質問をすることができます。

これに対して、営業は、「行ってきま〜す」と外出したら、基本的に1人です。傍に人がいませんから、何か困ったことがあっても、自分で対処方法を決めていかなくてはいけません。多少サボったりできるという気楽さはありますが、その中で自分を律し、自発的に動いていかなければなりません。強制されたり監視されたりしなくても、自らの意思で仕事に取り組むことが求められる仕事です。

3つ目の特徴は、時代の変化によって必要とされるようになったものですが、「新しい取り組みを行わなければならない」というものです。すでに述べたとおり、人口減少やインターネットの影響で営業マンに求められる役割が変わってきています。従来どおりのことを従来どおりこなしているだけではジリ貧になってしまいます。営業部門は、新規顧客開拓や新商材提案などの新しい取り組みを常に行っていかなければならないのです。

気ままなお客様も、何度も通って、人間関係ができてくると、優しくしてくれたりすることもあります。慣れてくると、お客様の性格や好みもわかってきて予測もできるようになります。

1人で自律的に動くのは大変ですが、慣れたルートを、いつもと同じ手順でこなしていけば、惰性で回ることもできるようになり、マンネリでも案外こなせるようになったりもします。

しかし、もうマンネリ、現状維持は許されません。新規客、新規ルート、新商材という慣れないことにチャレンジしなければなりません。のんびりと現状に甘んじているわけにはいかないのです。

こうした営業の特徴があるからでしょうか。営業という仕事の4つ目の特徴は、「がんばらせるために歩合（金銭的報酬）が用意されていることがある」という点です。これは、一見すると営業という仕事の恵まれている部分のように思うかもしれませんが、裏を返せば、3つの特徴として挙げたように、つらくて、きつくて、苦しいことが多いから、その見返りとして金銭的報酬というニンジンが用意されていると言えなくもないでしょう。

目標が達成されたら「大入袋」、トップ営業になったら「社長賞」という名の金一封、そして新規開拓は大変だから、新規開拓に成功した営業マンには「新規開拓手当」が支給されるという会社もあるほどです。

問題は、金銭的報酬はパワーが大きいだけに、もらえればうれしいけれども、もらえない時には余計ダメージが大きいということがあり、また金銭がからむとがんばる人もいる反面、「金のためにそこまでしたくない」という人が現れることがあるのです。営業の仕事自体が目的ではなく、お金が目的になってしまうわけです。

だから営業というゲームは面白い

この営業という仕事の4つの特徴を一気にプラスに変えるのが、ゲーム化です。4つの特徴を持ったゲームがあると考えてみてください。

まず、こちらの想定を超えた難易度の高いゲームの方が面白いですね。簡単なゲームでは、最初はよいかもしれませんが、歯ごたえがなく、すぐにクリアできてしまうと面白くもなんともなくなってしまいます。こちらの思うように動いてくれない敵を「うぉ〜、この野郎、負けないぞ〜」と追いかけていくゲームシーンを想像してみてください。「自分の思うように動いてくれない相手」がいることは、ゲームにとっては楽しいことです。それを攻略してこそ、達成感や充実感が高まるのです。

次に、自分で考え、自分で決めて、自分が動いていくという点はどうでしょうか。ゲームは、そうでなくては困りますね。ゲームをするのに、いちいち指図されたり、相談しないと進めないとなったら面倒くさくていけません。助け合う程度ならいいでしょうが、自分で勝手に進めていけるから面白いし、うまくいった時に「おれがうまくやった」「私が成功した」という自己効力感の強化につながるのです。

また、ゲームはどんどん新作が出てきます。人気のあるゲームも、人気があるからといってずっと同じではなく、さらに新版、新バージョンが出てきて、新しい敵や新しい武器や新しい展開が用意されます。それが面白いし、どんなのが出てくるのかとワクワクしますね。ゲームであれば、新しいものにチャレンジするのが楽しいのです。古いもの、すでにクリアしたようなものは、飽きてしまいます。

そして、ゲームをクリアしたり、一番になったら、金銭的報酬がもらえると考えてみてください。擬似通貨的なゲーム用のコインでもいいでしょう。金銭的報酬がなくても、そもそも面白くてやっているわけですが、さらに報酬ももらえればうれしいし、盛り上がりますね。ゲームをやって金銭的報酬がもらえるというとギャンブルのようなものになりますが、パチプロやプロの雀士など、それ自体で生計を立てようとしているような人を除いて、お金のためだけにそのゲームをやるということはないのではないでしょうか。そもそもお金のためだけであれば、余程特別な才能を持っていない限り、ギャンブルはあまり有効ではないですね。ゲームが楽しいからやるのであり、それに報酬があればもっと盛り上がったり、のめり込むことがあるわけです。金銭的報酬があるからといって「お金のためにこんなことをしたくない」と言い出す人はいないし、それでゲームを手抜きしてしまっては、そもそもゲームをする意味がなくなってしまいます。

どうでしょう。

仕事としてとらえると、営業という仕事は、４つの特徴によって、「つらい」「きつい」「苦しい」「お金のためにこんなことまでしたくない」と言いたくなるようなことなのですが、これをゲームとしてとらえると、営業というゲームは、４つの特徴によって、「面白い」「ワクワクする」「楽しい」「こんなに楽しいのにお金までもらえてラッキー♪」と思えるようなことになるのです。

これが営業をゲーム化すべきだと考える理由です（**図-1**）。

図-1 営業をゲーム化すべき4つの理由

理由 1
自分の思うように動いてくれない顧客を相手にしなければならない。

↓

難しいゲームをクリアする喜びを味わえる。簡単では飽きる。

理由 2
社外に出たら単独行動で、仕事の進め方を自分で決めなければならない。

↓

ゲームをクリアする方法を自分で決められる。

理由 3
常に新規開拓、新商材提案などの新しい取り組みを行わなければならない。

↓

次々に新しいゲームがしたい。新バージョンが楽しみ。

理由 4
がんばらせるために歩合（金銭的報酬）が用意されていることがある。

↓

「ニンジン」（外発的動機付け）によってがんばらされている感を減らす。
ゲームには報酬があった方がよい。

ゲーミフィケーションの効用

では、ここから、仕事や営業をゲーム化するゲーミフィケーションとはどういうものなのか、見ていきましょう。

ゲームには何らかの効用があるのではないか。ゲームには人を虜《とりこ》にする魔力があるのではないか。その力があるとしたら、それを仕事に活かせないか。

そう考えたキッカケは、新興ゲーム会社の隆盛です。私たちが子供の頃から慣れ親しんだ任天堂やセガではなく、ソニーやマイクロソフトでもなく、携帯電話やスマートフォンで遊ぶ新しいタイプのゲームが流行り、そうしたゲームを提供している会社が上場し、果てはプロ野球チームのオーナーにまでなっているという現実があったのです。

そして、電車に乗ったり、街を歩けば、一心不乱にスマートフォンを操作している人がたくさんいます。メールを送っているのかなと覗き込んでみると、ゲームでした。外見からは、とてもゲームなどやりそうに見えない人までゲームをやっています。

ついには、コンプリートガチャと呼ばれるゲームの仕掛けによる高額な課金が社会問題にまでなりました。子供も大人も、月に何万円もゲームにつぎ込んでしまうのです。つぎ込んだ以上に儲かる可能性のあるギャンブルではありません。ただのゲームです。そしてそれが社会問題化するほどの広がりを見せているのです。

それを「だからゲームはけしからん」と否定してしまうこともできました。我が子には、「ゲームをやるようなヒマがあったら勉強でもせんか」と説教もしてみました。しかし、いくら説教してもやめません。それだけの力がゲームにはあるのです。

そうしたことをキッカケに、これはゲームには人を動かす、その気にさせる効用があると考えてみるべきではないのか、と思ったのです。

ゲームの効用

そこでゲームの研究をしてみました。ゲームには次のような効用があると言えます（図−2）。

①やるなと言われてもやる。
②徹夜してでもやる。ついついやりたくなる。
③楽しんで取り組める。単純に面白い。
④「やればできる！」という自信（＝自己効力感）を得やすい。
⑤自分のレベルアップ、成長を実感できる。
⑥いつの間にか本当に上手になる。

①②③の効用は、一般にはゲームのよくない点として認識されていることを逆さに考えてみた時の効用です。「やるな」と言われてもついやってしまう害悪な存在とも言えますが、「やるな」と言われてもやるだけの何かがあるのです。

図-2 ゲームの効用

ゲームの効用

① やるなと言われてもやる。
② 徹夜してでもやる。ついついやりたくなる。
③ 楽しんで取り組める。単純に面白い。
④「やればできる！」という自信（＝自己効力感）を得やすい。
⑤ 自分のレベルアップ、成長を実感できる。
⑥ いつの間にか本当に上手になる。

ゲームの良い面を考えてみる。特に④⑤⑥が重要。

いつもは居眠りばかりしているのに、ゲームとなると徹夜してでもやるというのは、それだけの効用がゲームにはあると考えるべきでしょう。強力なカフェインのようなものですかね。ついついやりたくなる中毒性があると言えるのかもしれません。

なぜそうまでしてゲームをするのか、ゲームをしている人に聞いてみました。すると「特に理由はない。ただ楽しいからだ」と言うのです。「どこが楽しいの？」と聞いてみると、「単純に面白い」と言うのです。何がいいのかはわかりませんが、とにかく人を楽しませ、面白がらせる効用があることはわかりました。

これで終わっては、ただ見方を変えただけじゃないかと言われそうですので、もう少し考えてみました。

何が楽しいのか、どこが楽しいのかを突き詰めていくと、④の「自己効力感」に行き当たりました。自己効力感とは「自分はできる！」という自信を得ること、自分にパワーがあるという実感を得ることです。人によってどんなジャンルのゲームを楽しいと感じるかはさまざまです。格闘ゲームが好きな人もいれば恋愛ゲームが好きな人もいます。そういう趣味嗜好《しこう》みたいなものを排除していくと、ゲームには、自分は「やればできる！」という感覚、すなわち自己効力感を得やすくする仕掛けがあることに気づきます。

これは、後述するゲーミフィケーション成立の4条件にも含まれているものなのですが、ゲームには、何かアクションを起こすと、それに対して即時にフィードバックがあるのです。何かすると、何かしらの反応があるということです。当たり前のことのように思われるかもしれませんが、これはゲーム化の重要なポイントなのです。実生活、実社会では、何かやっても、反応や手応えがすぐに返ってこないことが結構あります。がんばって勉強してもテストでいい点数をすぐにとれるとは限りません。せっかく手を挙げたのに、先生から当てられるとは限りません。仕事でも努力をすればすぐに成果が出るわけではありません。

そういう時、すなわち何かやっても反応がない時、人間は無力感を覚えます。「やってもムダだ」「がんばってもダメだ」と感じることがあるわけです。

ゲームが実成長を促す

一方、ゲームにはそういうことがありません。何かアクション（ボタンを押す・スティックを動かす・クリックする・タップする）をして、無反応だったら、そのゲームは壊れているのではないかという話になります。何かすれば必ず、音が鳴るなり、画面が変わるなり、何らかの反応があり、うまくいったのか、失敗したのか、惜しかったのかといった結果がフィードバックされます。これがないとゲームが成立しないわけです。これは本人にとっては、自分のアクションに対する手応えなのです。

格闘ゲームが例としてわかりやすいでしょう。強そうな敵が出てきて、戦います。パンチをすれば相手が「うぎゃ」とか言って倒れます。キックをすれば「うごご」とか言って吹っ飛んだりします。実際に自分がパンチをしたり、キックをしたわけではないけれども、アクションを起こしたのは明らかに自分であり、それによって敵を打ち負かすことができたわけです。そこで「うおおお、おれは強い。あの敵を倒した！」と自己効力感が高まるわけです。

このように自己効力感はリアルな実体験だけでなく、バーチャルな仮想体験からも感じることができるのです。ゲームにはストーリーがあり、主人公になり切っていますから、余計に自己効力感を得やすいとも言えます。

映画を見たりマンガを読んだりしても、主人公に感情移入していると自己効力感を得ることができます。そういう映画やマンガがありますね。自分がやったわけではなくても、何だか「おれにもできる。できるような気がする。いや、おれにもできるはずだ」となって、自分の気持ちが高ぶるわけです。

それがゲームになると、そのストーリーの中で、自ら判断し、自らアクション（と言ってもボタンを押したり、スティックを動かすだけですが）を起こした結果ですから、なおさら自己効力感が大きくなるわけです。

自己効力感は、気分を高揚させる脳内物質の分泌を促すと考えられます。このあたりは専門ではないので脳科学者に譲りますが、ドーパミンなどの脳内物質を分泌させることで、快感を覚え、またやりたくなるわけです。いずれにせよ、本人のやる気を高め、前向きな意識にさせる強い力をゲームは持っているということです。

そして、ゲームにはポイントはもちろん、レベルが上がったり、ステージが上がったり、パワーが増えたり、使える技が増えたり、といった仕掛けがたくさん組み込まれていることで、自分のレベルアップや成長を実感しやすくなっているのです。「やればできる！」という自己効力感だけでなく、それが自己成長にもつながったと実感できると言えばわかりやすいでしょうか。

それによってまたさらに自己効力感が増幅されて、また気分の良い体験ができるのです。自分のレベルやステージ、ポイントが「見える化」されると、さらに上を目指したくなり、ライバルの点数がわかれば、負けたくないという競争心も出てきます。そうした効用が**図-2**の⑤の「自分のレベルアップ、成長を実感できる」に当たります。

ここまでは、そうは言ってもバーチャルな世界のことなのですが、⑥として「いつの間にか本当に上手になる」と挙げたとおり、これがリアルな実世界においても有効な上達や成長につながることがあるのです。ゲームを通じて実成長があるということです。

ゲームの効用を仕事や営業に活かす

一時期流行った「脳トレ」などの教育ゲームは、まさにゲームを通じてリアルな能力開発を狙ったものです。脳トレのような能力開発を主眼に置いたゲームでなくても、戦国武将の名前を覚えたり、全国の地理や駅名を覚えたりといった実生活でも使える知識や情報を得ることができたりします。

また、格闘ゲームやシューティングゲームに習熟すると、コントローラーを連打する指の動きが速くなります。やっているのはバーチャルな世界のゲームですが、そのバーチャルな世界にハマって楽しんでいると実際に、指を速く動かせるようになるというリアルな上達をすることになります。指を速く動かせるようになったからといって実生活で役に立つかどうかは疑問ではありますが……。集中力が高まり、手先を器用に動かせるようになったことは間違いありません。

要は、工夫次第で、ゲームの力がゲーム以外にも活かせるということです。より仕事に近いゲームを紹介すると、パソコンのキーボード入力において、ブラインドタッチをゲームで習得するものがあります。格闘ゲームになっているのですが、画面上に出てくる文字をキーボードで素早く打ち込むと敵を倒せる、というゲームなのです。敵の攻撃が当たる前に文字を打ち込まなければゲームに勝てないので、自然とキーボードを叩《たた》く指の動きが速くなり、結果として、リアルに、ブラインドタッチができるようになるわけです。

これだけの効用があるものを、ただのゲームで終わらせておくのはもったいないのではないでしょうか。これが、私たちが仕事や営業のゲーム化、ゲーミフィケーションに取り組んだ理由です。

営業などの仕事がゲーム化されて、「もう遅いから、仕事を切り上げて早く帰れよ」と上司が言っても、「いや、仕事が面白くって。もうちょっとだけやらせてください」と部下や社員が言ってきたらどうでしょう。

朝、出社してみると、部下がいて、「あれ、昨夜徹夜したの？　帰れって言っただろう」と言うと、「すみません。つい仕事が楽しくて、朝までやっちゃいました」なんて、部下から元気な顔で言われたらどうでしょう。徹夜を勧めたいわけではありませんが、それだけ仕事を楽しめるといいですね。

さらに、仕事から自己効力感を得て、自信がつき、どんどん前向きに取り組んでいく中で、自己成長を実感していくと、まさに仕事も楽しく充実したものになってくるでしょう。

これはそのままリアルな世界ですから、仕事のレベルが上がって、がんばれば、成果も出て、会社とすれば業績アップにもつながります。それでボーナスや給与が増えれば、さらにハッピーになります。本人もハッピー、会社もハッピーとなれば、みんながハッピーに仕事ができるわけです。

PART 1

「営業のゲーム化」成功のポイント

ゲーミフィケーション成立の4条件

では、その仕事や営業のゲーム化、ゲーミフィケーションをどうやって実現すればよいのでしょうか。

私たちは、ゲームの力をうまく仕事や営業に応用するべく、ゲームについて研究していく過程で、ゲームづくりのノウハウには、次の4つの条件が隠されていることを発見しました。

【ゲーミフィケーション成立の4条件】（図-3）

①何をすべきかが明確になっている

⇩目標・課題・アクションの明確化

何をしたらいいかわかりません、というのではゲームを始めることはできません。ゲームの特徴として、やるべきことが明確になっている、という点をはずすことはできません。

②自分が今どこにいるのかが可視化されている

図-3 ゲーミフィケーション成立の4条件

1 何をすべきかが明確になっていて、

目標・課題・アクションの明確化

2 自分が今どこにいるのかが可視化され、

現在地・現状の可視化
ランキング・ポイント・レベルの見える化

3 アクションに対する即時フィードバック（称賛）があり、

即時フィードバック（他者からの承認・称賛を含む）
による自己効力感

4 ゴールするか達成すると、報酬（金銭に限らずモノでも心的報酬でもよい）がもらえる。

達成感および達成に対する報酬の魅力

ゲームをゲームたらしめているのは、この４つの条件。

⇩現在地・現状の可視化――ランキング・ポイント・レベルの見える化
ゲームでは、得点、レベル、経験値、体力バロメーターが常に「見える化」されています。

③アクションに対する即時フィードバック（称賛）がある
⇩即時フィードバック（他者からの承認・称賛を含む）による自己効力感
前述のように、ゲームでは何かをやれば必ず反応が返ってきます。これを即時フィードバックと言います。この即時フィードバックを得ると自己効力感が高まります。

④ゴールするか達成すると、報酬（金銭に限らずモノでも心的報酬でもよい）がもらえる
⇩達成感および達成に対する報酬の魅力
報酬は必ずしも、お金やモノでなくても構いません。「よくやったね！」「すごいぞ！」と褒められるような心的報酬も立派な報酬になります。

ゲーミフィケーション成立の４条件は、あらゆる取り組みをゲーム化するために最低限必要なものととらえられます。４つの条件が揃うとどのような取り組みでもゲーム化することができます。逆に、楽しいはずのゲームも、この４条件が欠けてしまうとゲームとして成立しなくなってしまうのです。

たとえば、ゴルフを例に説明してみましょう。

まず、ゴルフでは、何をすべきかが明確です。「旗が立っているところに穴が開いているから、その穴にこのボールを入れなさい。なるべく少ない打数でね」で終わり。とても明確です。

次に、スコアが「見える化」されています。トーナメントなどでは当然そうですが、プライベートでコースを回る時にも、他のメンバーのスコアも書き込みながらホールを回っていきます。常に、だれが今何打しているのかが見えている状態です。もし、スコアもつけずにボールを打つだけだったら？

そして、ボールをクラブで打つと、周囲にいる人が「ナイスショット」と声をかけます。即時フィードバックです。もし、いいショットを打ったのに、だれも何も言わず知らん顔されていたらどうでしょう。やっぱりそれでは盛り上がらないから、お互いに「ナイスアプローチ」とか「ナイスパー」とか言いながら即時フィードバックを続けていきます。

ホールを回って、一番スコアがよかったらどうでしょう。「すごいね」「君が一番だ」と褒められ、コンペなどでは賞品ももらえます。

ゴルフ、好きですか？　楽しいですか？　４条件が揃っていることはおわかりいただけると思います。

では、ゴルフでやっている行為自体はどうでしょうか。

何のために、朝早く起きて、山の中に行き、歩き回らなければならないのでしょうか。なぜ、わざわざ旗を立てておかないとわからないくらい遠くのあんなに小さな穴にボールを入れなければならないのでしょうか。

ボールももっと大きくして、クラブは何種類もあると持ち運ぶのに重たいから、1種類でいいのではないでしょうか。

こんなことを考えていくと、ゴルフでやっている行為自体が、そんなに面白おかしく楽しいものではないことに気づきます。こんなことを18ホールもやったらイヤになります。

しかし、ゴルフを楽しむ人がいます。実際やって面白いと感じる人がいます。それはゲーミフィケーション成立の4条件を備えているからです。ゲーム仕立てになっているからです。

このように、やっている行為自体が面白いものではなくても、ゲームにすることができるのです。その際に最低限必要になる条件が、このゲーミフィケーション成立の4条件なのです。

営業という仕事のゲーム化を確実に成功に導くための2つのとらえ方

ゲーミフィケーション成立の４条件が整えば、どのような取り組みでもゲーム化することができますが、他でもない「営業」という仕事のゲーム化を確実に成功に導くためには、ゲームのプレーヤーが営業という仕事をどうとらえているかということについてケアしておく必要があります。営業とは「つらい」「きつい」「苦しい」ネガティブな仕事であって、そのマイナス分を補填するために金銭的報酬があるのだというとらえ方に凝り固まっていては、いくらゲーミフィケーション成立の４条件が整ったとしても、楽しく盛り上がるゲームにはならないからです。

そもそも楽しいはずのゲームも、イヤだイヤだと思っていては、楽しめないことがありますし、不機嫌そうに参加しているメンバーがいると、ゲームが全体として盛り下がってしまうこともありますね。そういったことを避けるためにも、営業のゲーム化を成功に導くためには、ゲーミフィケーション成立の４条件を整えるとともに、営業とはどういう仕事なのかを正しく認識しておく必要があります。

では、営業とはどういう仕事なのでしょうか？　改めて問われると回答に窮する人が多いのではないでしょうか。その答えは人それぞれで、１００人の営業マンに聞けば１００通りの答えが返ってくるかもしれません。しかし、営業のゲーム化に取り組むためには、次の２つのとらえ方で営業という仕事を認識しておくべきです。

真の営業はマーケティングとイノベーションを統合しリードする

1つ目のとらえ方は「営業とは、マーケティングとイノベーションを統合し、なおかつそれをリードするものなのだ」というものです。

このことを考える際に示唆を与えてくれるのが、かのドラッカーです。

ドラッカーは、1974年に上梓した『マネジメント――課題・責任・実践』（P・F・ドラッカー著、上田惇生訳、ダイヤモンド社）の中でこう言っています。

「これまでマーケティングは、営業に関する全職能の遂行を意味するにすぎなかった。それでは、まだ営業である。我々の製品からスタートしている。我々の市場を探している。

これに対し、真のマーケティングは、顧客からスタートする。『我々は何を売りたいか』ではなく、『顧客は何を買いたいか』を考える。『我々の製品やサービスにできることはこれである』ではなく、『顧客が見つけようとし、価値ありとし、必要としている満足はこれである』という。

実のところ、営業とマーケティングは逆である。同じ意味でないことはもちろん、補完する部分さえない。何らかの営業は必要である。しかし、マーケティングの理想は営業を不要にすることである。

理想は、今すぐにでも買いたくなるようにすることである。手に入れられるようにしてやれば、自動的に売れるようにすることである。営業や販売促進を不要にすることである」

（『マネジメント』）P・F・ドラッカー　ダイヤモンド社）

ドラッカーは、「それでは、まだ営業である」（傍点引用者）と言っています。「まだ」と言っていますから、ドラッカーは、マーケティングが上で営業が下だと認識していることに気づきます。

「おまえ、それだとまだまだだな。まだそれでは営業だぞ。早くマーケティングの高みまで上がってこいよ」と言っているようなものです。

製品からスタートしているし、市場を探しているからダメだと言っています。それに対して、真のマーケティングは、顧客志向、顧客起点で考えるべきだと述べています。そして、「実のところ、営業とマーケティングは逆である」と結論付けています。

私たちはこのことに少し違和感を持ちます。多くの日本企業では、営業部門がマーケティング機能も担っていることが多いですし、マーケティング部門が別部署になっている大企業であっても、営業とマーケティングは同じ方向を向いて協力し合う関係を目指すべきだと思うからです。特に、中堅・中小企業では、営業部はあるけれどマーケティング部はないという企業が多くて、マーケティング部はあるけれど営業部はないなどという企業は聞いたことがありませんから、上下を言うなら、営業が上でマーケティングが下にあるという方がしっくりきます。少なくとも営業をマーケティングの下だと言う必要はないし、「逆」であり「不要」だとするのは、間違いでしょうね。

これは、米国企業と日本企業の違いでもあるでしょうし、ドラッカーが素晴らしい人であることは間違いないのですが、学者で、しかも偉大すぎる大先生なので、営業をしたことがないのだと思うのです。

40年前の古い話ですしね。ドラッカーが言っている背景と私たちを取り巻く環境は違うと思うのです。ドラッカーが想定している米国企業では営業はセールスレップと言って、フルコミッションセールス、つまり完全歩合給で、多くの場合正社員ではありません。セールスレップとは、直訳すると販売代理人という意味です。マーケティング部門は正社員ですが、営業マンは個人事業主的な代理店のような存在で、企業は営業マンが売った分だけ給料を払います。だから、マーケティングが上で営業が下になっていると考えたのでしょう。そう考えるとドラッカーの言わんとしたことも納得できます。

セールスレップが歩合のコミッションフィー欲しさに、あることないこと言いながら、ダメな商品を強引に無理やり売っていくと、価値が高いから売れるのではなくて営業マンの営業力によって商品が売れてしまいます。本来なら自社商品がマーケットの潜在顧客からどういう点が評価されていて、どういうところに不満を持たれているかという情報を吸い上げたいわけです。しかし、セールスレップが口八丁手八丁で売ってきてしまうと、正しくマーケット情報を把握することができなくなります。だからドラッカーは営業とマーケティングは逆だ、と看破したわけです。

しかし、日本ではどうでしょうか。日本企業では営業マンは基本的に固定給で働いています。歩合があったとしても少しだけですし、多くの場合正社員です。日本企業においては、マーケット情報を収集するマーケティング機能も、マーケットからの顧客の不満や要望を商品開発に活かすイノベーションも、営業部門が主導していくべきなのです。

顧客と自社を結ぶのに最適なのは、直接顧客と接している営業マンです。これはまさに「業を営む」ということです。私たちはドラッカーの指摘を鵜呑《うの》みにするのではなく、その限界を超えていくべきだと思うのです。

真の営業というのは、マーケティングの下にいるのではなく、マーケティングとイノベーションを統合し、そして、なおかつそれをリードするものなのです。

皆さんの会社では、営業部、営業マンは、ただの売り子でとにかく売ってくればいい、顧客がいらないと言っても、そこを何とか売ってくるのが営業の仕事だと考えていませんか。それでは、ドラッカーの指摘どおりになってしまいますし、営業がうまくゲーム化されていかなくなってしまうので注意してください。

断られることを前提に。失注客は財産

営業をゲーム化する上で必要となるとらえ方がもう1つあります。それは、「失注（顧客に断られること）を恐れない」ということです。

プロローグで見たとおり、新規取引開始の提案や新商材の提案がどこの企業にも重要になってきています。しかし、そういった新規提案がいきなりうまくいくことはほとんどありません。営業マンに売らなければならない都合があるように、顧客には顧客の都合があるからです。新規提案は断られることがほとんどなのです。すると、断られても断られてもがんばろうとする、まじめで熱心な営業マンほど疲れ果ててしまいます。では、どうすればよいのでしょうか。

私たちはこのことに関して明快かつシンプルな答えを持っています。それは、「顧客に断られること」を前提とした営業を展開すればよいということです。

どんなに優秀な営業マンでも、100％の受注率はあり得ません。つまり、どんな営業マンでも必ず失注（顧客に断られること）をしています。

さて、では、この失注客をどうしているでしょうか？

「この商品はいらない」と言われたら、多くの営業マンは、その顧客は捨てて、他の見込みのありそうな顧客を訪問するでしょう。しかしこれはもったいない話です。

たとえ成約まで至らなくても、営業マンとコンタクトがあったということは、商品に対して何らかの興味があった証拠です。ニーズがなければ、はじめから接触することはありませんし、すぐに「いらない」と言われるはずです。営業マンとコンタクトをとったのに買わなかったということは、何かネックとなっている理由があったからだと考えるのが自然です。

たとえ、今はネックがあったとしても、時間が経てばそのネックが解消されることもあり得ます。予算取りに間に合わなかったのであれば、来年度、予算を組む前に再度アタックすれば買ってくれるかもしれません。お子さんの受験があるから買い控えたのであれば、お子さんが合格した頃を見計らって再提案すれば、合格祝いにピッタリかもしれません。

つまり、失注客はタイミングひとつで、将来の顧客という「財産」に変わるのです。みすみす失注客を捨ててしまうのは、あまりにももったいないことです。失注客を将来の見込客である「財産」としてとらえるべきなのです。目先の数字にとらわれて、短期の視点で営業をしていると、見込みの薄い顧客にムダな時間ばかりかけてしまい、新規顧客にアタックする時間もなくなり、失注客は捨ててしまうという悪循環に陥ります。

しかし、長期的な視点から「失注客は財産」ととらえることができれば、失注を恐れる必要はありません。断られれば断られるほど「宝の山」が増えていくだけですから。

失注客のダムをつくる

営業マンにとって、お客さんに断られるのはマイナスのことです。心が折れます。しかし、短期から長期へ視点を変えるだけで、断られることが苦ではなくなるのです。

注文をもらえるに越したことはないけれども、顧客に断られるたびに、「残念だけど、将来の財産が増えたぞ、これはこれで良しとしよう」と考える方が営業をゲーム化しやすいのです。

断られた見込客を捨てずに、いったんキープしておくことを「ダムをつくる」と表現しています。「失注ダム」をつくりましょう。そして、断られた見込客はダムの中に放り込んでしまいましょう。今、ニーズのない見込客を深追いしても、時間のムダです。営業をしていると、営業マンを人間扱いせずに冷たく追い払う人や横柄な態度をとる人がいます。こういう人にヘコヘコ頭を下げるのはイヤですね。「もう来るな！」と怒鳴られたり、理不尽な値引きやサービスなどを要求されたりすれば、精神的にも苦しくなります。それに、だれにでも相性が悪い人は存在します。そんなお客さんはすべてダムにぶち込んでしまいましょう。ダムに入れてしまえば、イヤなお客さんと無理に付き合う必要はありません。ダムをつくれば、「今は買ってくれなくても、そのうち買ってくれるだろう」という余裕のある気持ちで営業をすることができるようになるのです。

そして、ダムにはさまざまな情報を溜めていきます。たとえば、失注した理由、つまり「どうして買わなかったのか」を聞き出しておけば、ダムに溜めていた失注客を顧客に変えることができます。

「商品の機能がライバルに負けていた」

「窓口担当者の上司がNOと言った」

「予算がつかなかった」

失注する理由はさまざまです。しかしこうした情報を押さえておけば、

「別の機能をアピールしよう」

「人事異動で上司が代わってから再チャレンジしよう」

「次回、予算を決めるタイミングでアプローチしよう」

といった次の一手を打つことができ、成約につながる可能性が出てきます。

そして、失注理由は、実は断られたときこそ、聞き出しやすくなります。

こちらが良い提案をしていれば、見込客は断ることに対して引け目を感じている可能性があります。だから、普段は話してくれないようなことも聞き出すチャンスなのです。失注したときに、「どうしてうちではダメだったのでしょうか」と尋ねれば、「本当はよかったんだけど

……」と言いながら、相手の購買決定要因を教えてくれるかもしれません。

たとえば、失注した相手から、「おたくの商品の機能は、確かにうちの会社に合うと思う。でも、他社の料金の方が安いから社内を説得できなかったんだ」といった情報を聞き出すことができれば、次回、他社よりもリーズナブルなプランを提供するなどして、リベンジ受注できるかもしれません。

失注時に相手の購買決定要因を聞き出して、次の機会にそれをクリアするような条件を提示すれば、将来、受注につながる可能性は十分にあるのです。

戦略実行の最前線は営業部門

失注を前提にして顧客のダムをつくればよい、という考え方は、要するに、営業とは、仮説検証の繰り返しなのであって、失注とは、その仮説が外れただけだから、それがわかれば、まずい点を改善、改良して、また新しい仮説を立て、それを顧客に当ててみればよいという考え方に変えるということなのです。

かのエジソンは、電球を発明するまでに何万回も失敗をしました。ある人にそのことを聞かれ、どう答えたか。有名な話なのでご存じの方も多いでしょうが、「いや、失敗はしていない。何万通りものうまくいかない方法を発見したのだ」と答えたというのです。

ノーベル賞を受賞した京都大学の山中伸弥《しんや》教授も、「iPS細胞」を発見するまでには、数え切れないほどの実験を行い、失敗を積み重ねたそうですね。しかしその失敗があったからこそ「iPS細胞」を発見することができたわけです。

こうした考え方が、仮説検証です。失敗はないのです。一時的に失敗に見えても、それは成功へのプロセスに過ぎないわけです。営業のゲーム化を進めていく際には、この考え方にシフトした方がいいのです。失注したくらいでいちいち心が折れていては、せっかく営業をゲーム化しても楽しくないからです。

さらに、そう考えると、営業活動の前提になる経営戦略の仮説検証ができるようになるので、余計業績アップにつながる取り組みにできるのです。

そもそも、経営戦略があって、営業活動があります。営業活動がどんなに素晴らしいものであったとしても、経営戦略がズレていたり、不十分であれば、思うような業績につながらない可能性があります。

だから、経営戦略も仮説に過ぎないと考えるのです。今は、人口減少・マーケット縮小時代ですから、経営戦略を立てることが非常にむずかしくなっています。昔は、マーケットが拡大する一方だったので、同業社と横並びで事業を展開していれば、それなりに売上が上がりました。かつては、同業種の中でＳＷＯＴ[(注)]分析をして強み、弱みを考察する企業も多かったのです。強い企業、成長している企業の後を追い、弱点を補っていれば会社は安泰でした。つまり、ひと昔前は相対戦略さえできていれば、それでよかったのです。

しかし、今は横並びや相対戦略では、企業は生き残れません。独自の戦略を打ち出さなければ、やがてマーケットから退場せざるを得なくなってしまいます。ところが、独自の経営戦略であるがゆえに、それが正解とは限らず、仮説でしかないのです。仮説であれば、それを検証しなければなりません。つまり、戦略は、次のような「仮説検証ループ」を回すことになります。

「戦略仮説」→「実行」→「仮説検証」→「戦略修正」→「戦略仮説」→……

もし、仮説を検証した結果、それが間違っていれば、戦略を修正して新しい仮説を立て直します。そして、もう一度、仮説検証をします。こうしたループを何度も繰り返すうちに、独自の戦略を見出すことができるのです。

そう考えると営業という仕事は、経営戦略の仮説検証プロセスそのものだと言えます。当たり前ですが、経営戦略の仮説を立てたら、実行しなければ検証できません。では、実行するのはどの部門でしょうか。営業部門です。ということは、戦略実行の最前線は営業現場ということになります。戦略を実行しようと思えば、必ずマーケットに何らかのアプローチをすることになるからです。営業現場が戦略実行の最前線になるのは当然のことなのです。

（注）：ＳＷＯＴ分析――自社を取り巻く業界の機会と脅威などの「外部環境分析」と自社の経営資源（ヒト、モノ、カネ、時間、情報、企業文化など）の「内部要因分析」から自社を総合的に分析する手法。まず、自社の関わる業界において競合他社も等分に授かるチャンスを機会（Ｏ：Opportunity）としてピンチを脅威（Ｔ：Threat）として洗い出します。さらに、自社だけの強み（Ｓ：Strength）と弱み（Ｗ：Weakness）を洗い出します。

営業は仮説検証の繰り返し

そして、営業活動自体も「仮説検証ループ」の繰り返しだと言えます。まずは、顧客提案をし、受注できなければダムに入れ、チャンスをうかがって再び顧客提案をします。「顧客提案」→「顧客反応」→「ダム化」→「再・顧客提案」→……

図1-4のように戦略の仮説検証ループの中には、営業の仮説検証ループが組み込まれています。上下のループがグルグルと回ることによって、初めて戦略の仮説検証ができるのです。上のループである経営戦略の仮説検証を行う上で重要となるのが、営業現場からフィードバックされるマーケットの反応です。つまり、日々の営業マンの活動から得られた顧客反応が仮説検証の要となります。気づきましたか？　これは、ドラッカーが言うマーケティングそのものです。

経営戦略は、営業現場からフィードバックされたマーケットの反応に基づいて見直しが行われる必要があります。顧客からの要望やクレームに基づき商品改良を行うというようなことがその代表的な例です。これは、ドラッカーが言うイノベーションにあたります。

図-4 仮説検証ダブルループ

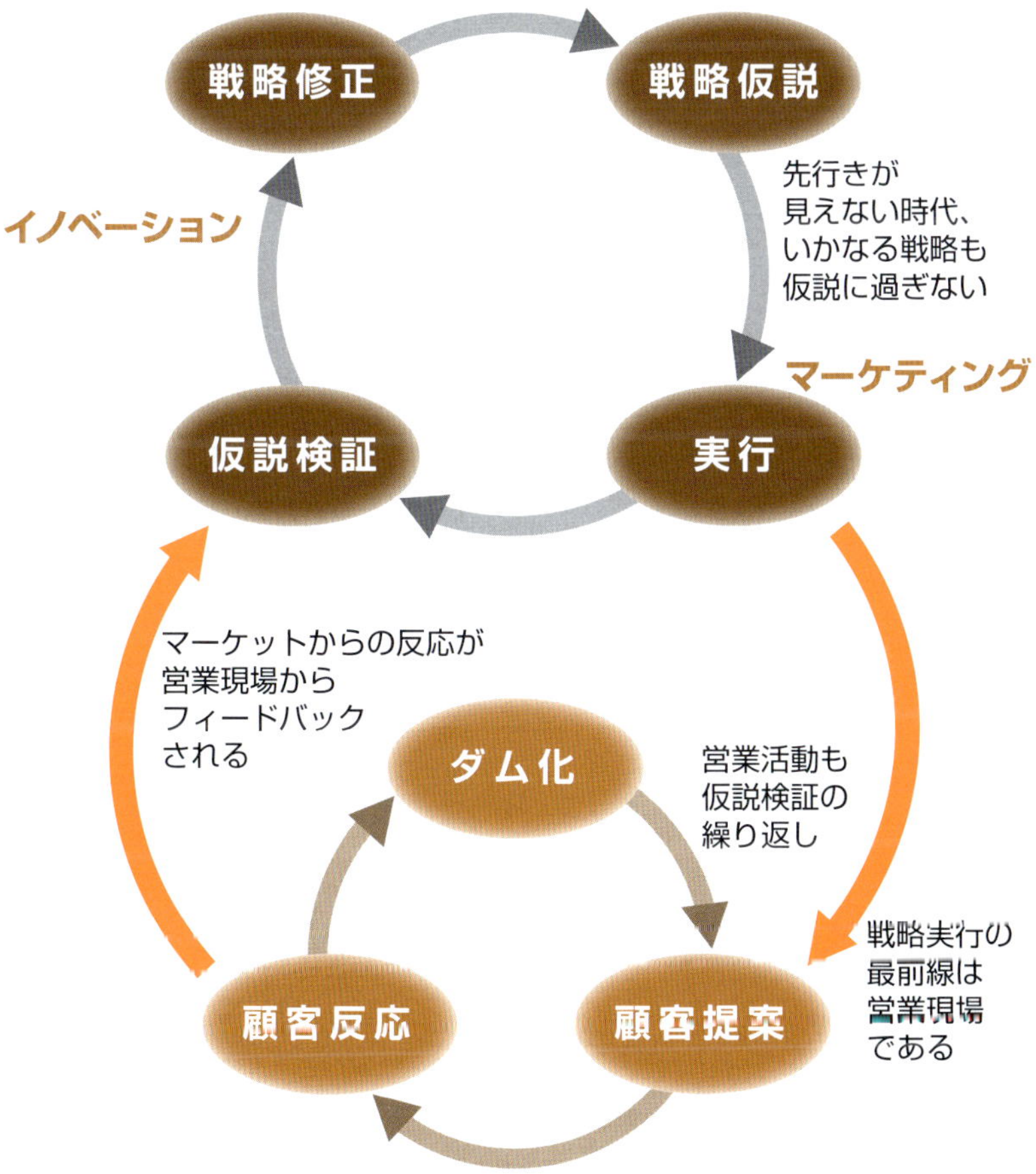
戦略修正
戦略仮説
先行きが
見えない時代、
いかなる戦略も
仮説に過ぎない
イノベーション
マーケティング
仮説検証
実行
マーケットからの反応が
営業現場から
フィードバック
される
ダム化
営業活動も
仮説検証の
繰り返し
戦略実行の
最前線は
営業現場
である
顧客反応
顧客提案

もちろん、戦略には当たりはずれがありますから、経営戦略が当たっていれば、当然、マーケットからの反応はよくなり、営業の仮説検証ループもうまく回ります。反対に経営戦略がはずれていれば、マーケットからの反応が悪くなり、営業の仮説検証ループはうまく回らなくなります。よく「戦略がブレているから営業ががんばってもうまくいかない」という文脈で経営戦略と営業の関係を語るケースがありますが、この論調は誤りなのです。営業をがんばることが、すなわち戦略をよりよいものに変えていく取り組みになるのです。営業部門がエンジンになって会社全体を引っ張っていくことができるということです。

「戦略の仮説検証ループ」と「営業の仮説検証ループ」を高速で回していくことが、これからの時代を生き抜くための必須要件であり、営業のゲーム化はそのための着火装置でもあるのです。

営業とは、出来合いのものを売る売り子ではなく、「マーケティングとイノベーションを統合し、さらにそれをリードする仕事なのだ」と考え、そのために、顧客の都合を無視して無理に売り込もうとするのではなく、「失注を恐れず、顧客に断られることを前提とした営業活動を行い、仮説を検証していく」ことが重要なのだという認識を共有した上で、営業のゲーム化を進めていきましょう（**図－5**）。

図-5 営業のゲーム化にあたって共有しておくべきとらえ方

営業とは、

出来合いのものを売る売り子ではなく、
「マーケティングとイノベーションを統合し、
さらにそれをリードする仕事なのだ」ととらえる

営業とは、

顧客の都合を無視して無理に売り込もうとするのではなく、「失注を恐れず、顧客に断られることを前提とした営業活動を行い、仮説を検証していく」ことが重要なのだととらえる

業績アップ、スキルアップ、チームワークに考慮し、営業のゲーム化を成功に導く

営業をゲーム化すると言っても、当然のことながら、お遊び感覚で、面白おかしく営業に取り組もうというだけのものではありません。営業のゲーム化の目的は、あくまでも業績向上であり、営業マン育成であり、営業組織の強化です。この観点から営業のゲーム化には、3種類のゲームがあると考えることが成功のポイントとなります。

1つ目は、ゲームに取り組み、のめり込むことが会社の業績向上に直結するようなゲームです。このように全社戦略や営業方針などの業績向上シナリオに則ってつくられたゲームを業績アップゲームと名付けます。この業績アップゲームが、営業のゲーム化を業績向上につなげていく大前提となるゲームであり、全体のシナリオと言ってもいいでしょう。

2つ目のゲームをスキルアップゲーム、3つ目のゲームをチームワークゲームと名付けます。スキルアップゲームとチームワークゲームは、業績アップシナリオを実現していく業績アップゲームを進めるにあたって、営業マン個人の力を高め、さらに組織力を高めていくものです。

営業活動で成果を出すためには、個々の営業マンがその営業活動を確実に進めるという視点

と、個々の営業マンの活動を周囲がサポートし、組織全体で営業活動を円滑に進めていくという視点が必要になります。前者は個人戦、後者は団体戦です。

個人戦では、当然個々の営業マンの営業スキルが問われます。団体戦では、他の営業マンや先輩、上司、他部門との連携やサポートが問われます。実際に、企業が業績を上げていくためには、個人の力も団体としての組織力も、両方必要になるのは当然のことです。

したがって、営業のゲーム化も、全社戦略や営業方針などの業績向上シナリオに則ってつくられた業績アップゲームだけでなく、個々の営業マンを育成することを意識したゲーム設計と、組織全体のチームワークを意識したゲーム設計が必要となります。

先ほど2つ目に挙げたスキルアップゲームは、ゲームの中で気づきを与え、自己成長を促し、自己効力感を高めることによって成長を加速させていきます。そもそも営業が苦手でゲームに参加してもどうせ勝てないと思っている自己効力感の低い状態の営業マンは、せっかくゲーム仕立てにしても、前向きにゲームに取り組むことができません。参加する営業マンが最低限「営業が苦手ではない」と言える程度に自己成長を遂げている状態が業績アップゲームを行う際には必要なのです。

そこでスキルアップゲームが必要になります。上司の指導や従来の営業マン教育で、営業マンの能力向上を図るのは当然ですが、厳しい指導には耐えられず、指導しても成長するには時間がかかることも少なくありません。そこで日常の業務の中や、ちょっとした空き時間に楽しみながら成長を促すゲームをさせたいのです。

3つ目のチームワークゲームは、個ではなく組織でのパワーアップを目的としています。スキルが上がり、業績も上がってくると、つい一匹狼のようになり、他者との協力関係を築きにくくなることも多い営業という仕事だからこそ、組織全体でのパワーアップを図ること、チームとして互いに協力し合うことの重要性を気づかせるゲームを行いたいのです。

チームワークの醸成、組織力向上、互いに協力、と口で言うのは簡単ですが、これがなかなかできていない企業が多いのです。営業部内ではライバル同士が反目し合っていたり、他部門のことは知らん顔だったりするのです。

しかし実際には、営業は1人ではできません。マーケティングとイノベーションを統合しリードする真の営業マンなら他者と協力することは必要不可欠ですし、サポートされ上手にならないといけません。団体戦ですから自分勝手に動き回るだけではダメなのです。そのことに営業マン本人も、組織全体も気づいた時、企業全体としての営業力が高まります。そして、このような「他者協力」を醸成するためにもゲームの力を使います。「他者協力」を醸成するゲームがチームワークゲームです。

自己成長を促すスキルアップゲームと他者協力を醸成するチームワークゲームは、業績向上シナリオに則った「業績アップゲーム」を支える両輪であると言えます（**図-6**）。

図-6 「営業のゲーム化」3種類のゲーム

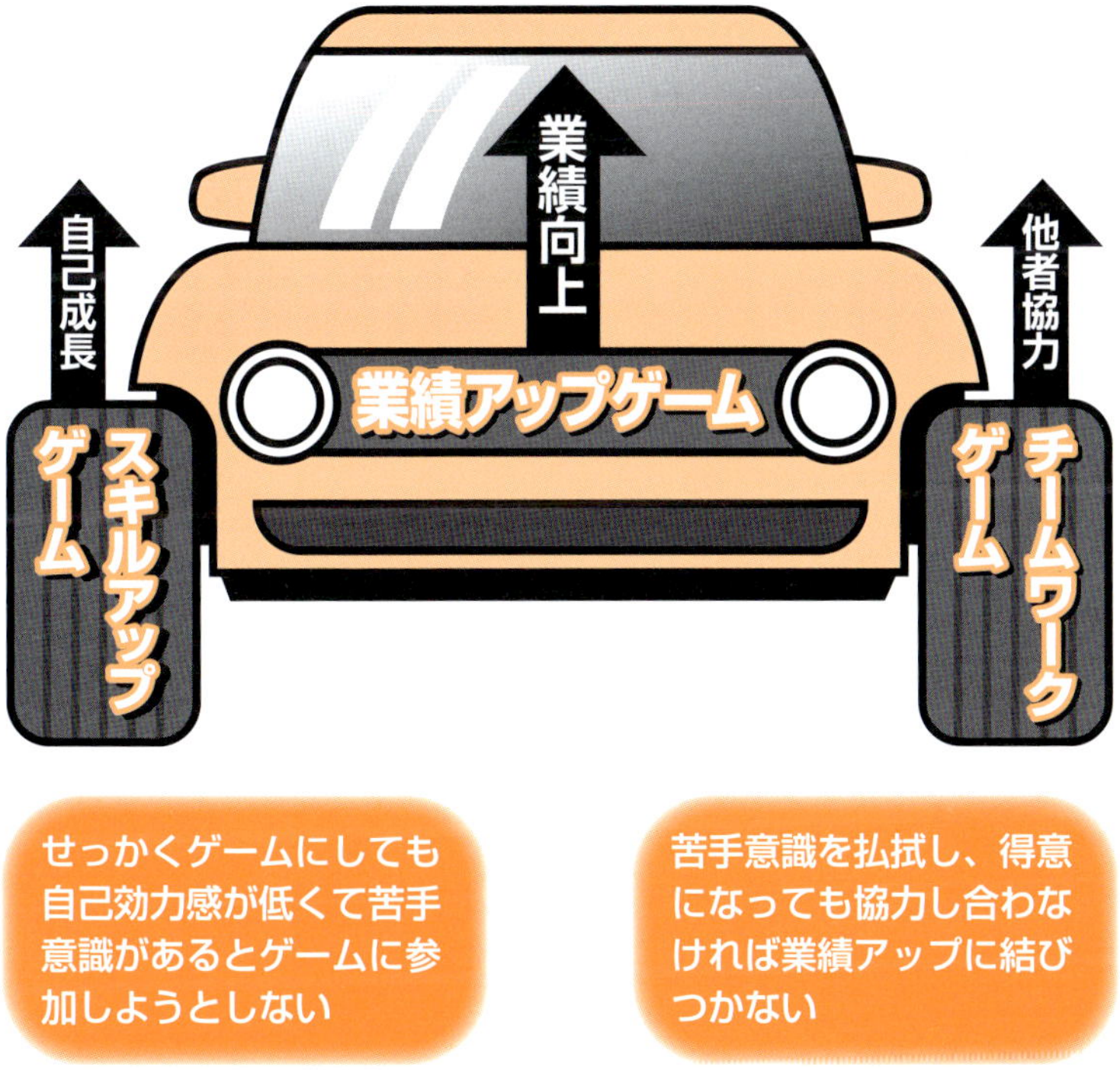
業績向上
自己成長
他者協力
業績アップゲーム
スキルアップゲーム
チームワークゲーム
せっかくゲームにしても自己効力感が低くて苦手意識があるとゲームに参加しようとしない
苦手意識を払拭し、得意になっても協力し合わなければ業績アップに結びつかない

また、スキルアップゲームとチームワークゲームには、実業務に組み込んで行うＯＪＴ（オン・ザ・ジョブトレーニング）型のゲームと、実業務を離れて行うＯｆｆ・ＪＴ（オフ・ザ・ジョブトレーニング）型のゲームがあります。

「業績アップゲーム」についてはＰＡＲＴ２で、「スキルアップゲーム」についてはＰＡＲＴ３で、「チームワークゲーム」についてはＰＡＲＴ４で詳しく見ていきます。

営業に熱中させるゲームデザイン・12のポイント

営業という仕事に対する考え方や認識を正しいものに変え、それを全社、営業全体で共有してゲームの舞台背景を整えた上で、ゲーミフィケーション成立の4条件を整備し、業績向上、営業マン育成、営業組織の強化を目的としてゲームをつくれば、営業をゲーム化することができます。

しかし、ゲームにはなるけれども、面白みに欠けるというか、それだけだと少し味気ない気がします。ゲームのストーリーと骨格だけがあって、ゲームが持つワクワクする雰囲気がないような、なんとなくまじめすぎるような感じになってしまいます。

そこで、営業のゲーム化をより熱中できるゲームにするゲームデザインの12のポイントを紹介しておきます（**図-7**）。

12のポイントすべてが揃っていなければゲームにならない、というようなものではありません。ゲームデザイン・12のポイントは、ゲームをしていると面白くて徹夜してしまうように、心をときめかせ、ワクワクしながら自ら進んで営業活動に取り組むための味付けだと考えてください。

【ゲームデザイン①】共感ストーリー（真・善・美）

ロールプレイングゲームには、必ず共感するストーリーがあります。たとえば、ドラゴンクエストなら「世界に平和を取り戻すために竜王を倒す冒険に出る」という「真・善・美」のストーリーが用意されています。営業のゲーム化でも、ゲームが盛り上がるためには、こうした共感でき、感情移入できるストーリーがある方がよいのです。さらにそのストーリーに「真・善・美」を感じることができるとなおいいですね。「あ〜、おもしろそうだな」「やってみたいな」だけでなく、「これをやると世の中にとてもプラスになるなぁ」「自分や自社が本物になり、よりカッコよくなるなぁ」と思うようなストーリーを用意したいわけです。

営業のゲーム化においては、業績アップにつながるストーリーが「真・善・美」を感じるものになっているとよいでしょう。自分たちの提供するモノやサービスは本物であり、それが売れることは世のため人のために善なる価値を持っていて、その姿はとてもカッコよく美しい。その「真・善・美」を追求する活動を続けていくと、自ずと顧客に喜ばれ、売上が上がり、会社の業績がアップする。そんなストーリーがあると、営業のゲーム化が素敵なゲームになるのです。

もちろん、ストーリーを決めるといっても、すべての脚本を決めてしまう必要はありません。

図-7 ゲームデザイン・12のポイント

1.	共感ストーリー	真・善・美
2.	レベル設定	級・段、ステージ
3.	バッジ効果	見える化・可視化
4.	コレクション効果	レアアイテム・コンプリート
5.	ソーシャル共有	承認・競争・協力・交流
6.	自発的参加	自己発働
7.	セルフカスタマイズ	自己決定
8.	習慣化クエスト	短期ミッション
9.	学習クエスト	実成長・能力向上
10.	逆転可能性	最終フレームのないボウリングなんて……
11.	サプライズ報酬	外発的動機付けで創造性を下げない
12.	ビジュアル・デザイン	わかりやすさ、使いやすさ、面白味

自分で多少の進め方を変えたりする余地が必要です。

たとえば、ドラゴンクエストなら、竜王を倒して世界に平和を取り戻すために冒険の旅に出ることは決まっています。しかし、すべてが決まっているわけではありません。旅の途中で、さらわれたローラ姫を助けるというのが通常のストーリーですが、あえてローラ姫を救い出さずに竜王を倒すということもできるようになっています。このように自分で進むべき道を選択できるようにしておくのです。

【ゲームデザイン②】レベル設定（級・段、ステージ）

自分の現在位置を知るためには、そもそも全体の地図があり、道程が明らかになっている必要があります。そろばんでも、習字でも、柔道でも、漢字検定でも、英検でも、級や段があり、自分のレベルがわかるようになっています。

これがゲームを通じて自己成長を実感するためにとても大切なことです。あとどれくらい取り組めば次のレベルに上がれるのかということが明確になっているからがんばれるし、基準があるから他のライバルとも比較がしやすくなり、切磋琢磨していけるのです。

営業という仕事は、新人もベテランも同じような活動を行うように見えますが、実は奥が深く、レベルアップさせていくためにはある程度の年数、経験が必要になります。

そこで、あらかじめレベル設定や段階を決めておいて、目指すべきステージを明確にしてあげるわけです。何をどうすれば、そのステージに上がれるのかが明確になっているから、そこに向けて努力できるとも言えます。

【ゲームデザイン③】バッジ効果（見える化・可視化）

レベルが上がれば、そのことをだれが見てもわかるようにバッジ（標章）をつけます。自分の価値を「見える化」し、それを他者に「見せる化」するのです。

「黒帯」効果と言ってもよいでしょう。欧米企業でも日本の柔道になぞらえて「ブラックベルト」を社内資格として与えている企業があります。軍服には階級のわかる星が付いています。これらと同じように社内資格制度にバッジを付けることを考えるとよいでしょう。

営業のゲーム化の場合には、それが顧客にも「見せる化」できるように工夫するといいでしょう。社内でお互いに切磋琢磨するのにも有効なのですが、せっかく営業するのですから、顧客にも自分の成長を知ってほしいですね。うまく使えばそれが顧客に対して安心感を与えることになりますし、営業マンもそれによって顧客から褒められたりすると、社内とはまた違ううれしさがあるものです。

たとえば、名刺に☆マークや社内資格を明記するなどが考えられます。名刺は必ず渡すものですから、そこにバッジ効果が施されていると、「これは何ですか？」と顧客から質問されたりして会話のキッカケにもなったりします。

【ゲームデザイン④】コレクション効果（レアアイテム・コンプリート）

バッジ効果によって「せっかくバッジをここまで集めた（努力した）のだから、あともう少しがんばろう」と思うようになります。これまでの苦労がムダになるのはイヤだ、と考えさせます。ラジオ体操のスタンプ効果と言ってもいいでしょう。スタンプが全部埋まらずに欠けてしまうのは避けたくなるものです。

バッジ効果は、単体で終わらせずに、バッジをコレクションする工夫があると、さらにいいわけです。レベル設定、バッジ効果、コレクション効果は、一連性があるといいでしょう。

部下の仕事を見ていても「お前、せっかくここまで取り組んだんだ。あと少しだからもうひとがんばりしてみろ」と言いたくなる瞬間があると思います。そういう局面にこのコレクション効果をうまく使います。

【ゲームデザイン⑤】ソーシャル共有（承認・競争・協力・交流）

自分のレベルや能力が高まれば、それを人に認めてもらいたいと考えます。承認欲求です。だから「見える化」「見せる化」します。

「見せる化」によって競争を促進させることもできますし、協力し合うこともできます。自分が手伝ってあげれば手伝ってもらえる可能性が高まりますから、協力してもらうために協力するという状況が生まれます。返報性の心理です。

するとそこに自ずと交流が生まれ、人とのコミュニケーションが楽しさを生み出します。私（清永）は小学生の頃、放課後急いで家に帰って、一心不乱にゲームをして、翌日、学校で友人に「おれは、あのゲームもう最終ステージまで進んだぞ」「裏ワザを1つ見つけたぞ」と自慢した記憶があります。自慢したいがために夢中でゲームに取り組んだものです。このソーシャル共有の楽しさを営業にも応用していきましょう。

【ゲームデザイン⑥】自発的参加（自己発働）

ある時、友人数名とボウリングをすることになりました。最初は、あまり気乗りせず「ボウリングなんかしたくない」と言いながら嫌々スタートしたのですが、ベストスコアが出てしまいました。私はうれしくなってしまい、皆がもうボウリングを終えて帰りたがっているのに「もうワンゲームやろうぜ」とはしゃぎ、皆から「お前ぇ、最初は嫌がっていたくせに〜」とからかわれてしまいました。このように、最初は嫌々始めても、ゲームをやっているうちにだんだん面白くなってきて、ついには自発的にやるようになりました。こうした〝魔力〟は、仕事をゲーム化することのメリットの1つです。

とはいえ、できるだけ自分の選択によって参加する方が望ましいのです。自分で決めて自ら動いていると感じる時、人はスムーズに能力を発揮できます。ですから、ゲームに参加しないということを選択できる余地を残しておく方がよいでしょう。ゲームへの参加は、強制せず、要請しましょう。さらに言うと、要請するより招待する方がよりよいでしょう。

営業をゲーム化すると、ゲームに負けることを恐れて拒否反応を示すような人が出てきます。そんな人も、自分と入社年次の変わらない隣の人がゲームに参加し、盛り上がっているのを見ると、だんだん参加するようになってきます。「あいつができるなら、おれにもできるかもしれない」という心理が働くのです。「やればできる」という自信がある時、人は自発的に参加するようになります。

【ゲームデザイン⑦】セルフカスタマイズ（自己決定）

やるべきことが明確になっている一方、そのやり方、進め方は本人の決定に委ねられていて、選択の機会を有していることが自己重要感を維持し、自らの意思によって取り組んでいる自己発働（自律と自発）状態を持続させます。

社外に出て、単独行動をとらなければならない営業の仕事は、もともとセルフカスタマイズ性が強いとも言えます。

【ゲームデザイン⑧】習慣化クエスト（短期ミッション）

ゲームへの参加を習慣づけるために、簡単にクリアできるクエスト（課題・ミッション）を与えましょう。そして、そのクエストをクリアした際に即時フィードバックします。習慣化させることで毎日取り組むことが当たり前になります。やらないと気になるので、ついやってしまうという効果を生みます。

ソーシャルゲーム「Ｇｒａｎｄ Ｆａｎｔａｓｉａ―精霊物語―」では、２０１４年２月から不定期に「毎日ログインキャンペーン」という、毎日ログインして楽しく遊ぶだけで豪華特典アイテムを獲得できる企画を行っています。このキャンペーンによって、プレーヤーは、特典のアイテム欲しさにログインして、ゲームをすることが習慣になるのでしょう。

こうしたメカニズムを活用しましょう。営業をゲーム化する際には、顧客へのお礼メールの送信など、やればすぐできるけれど、うっかりすると忘れてしまいそうなことを、うまく習慣化クエストのメカニズムに乗せるととても効果的です。

【ゲームデザイン⑨】学習クエスト（実成長・能力向上）

遊びのゲームなら、楽しめて、ゲーム上のレベルアップ、パワーアップによって気分がよくなればそれでよいのですが、営業のゲーム化をそのレベルで考えてはいけません。

営業のゲーム化を考える際に最も重要な点は、ゲーム上のクエスト（課題・ミッション）をクリアしていくことが、実際の能力向上、スキルアップにつながるようにするということです。

前述の、格闘ゲームに熱中していたらいつの間にかブラインドタッチをマスターしてしまったというのは、学習クエストの典型的な例です。営業の仕事は、近年の環境変化によってさらに難易度が高くなっていく傾向にありますから、これまで以上にリアルな成長、能力アップが求められます。それをゲームの中で実現していく学習クエストは、営業のゲーム化を考える際にとても重要です。

この点については、ＰＡＲＴ３やＰＡＲＴ４でゲームの実例を挙げて詳しく説明していきます。

【ゲームデザイン⑩】逆転可能性（最終フレームのないボウリングなんて……）

ゲームの結果が途中でわかってしまい、勝敗が決まってしまってはモチベーションが維持できません。

たとえば、「対戦トラップピンボールEx」というゲームの場合、相手の目隠しをしたりする強力なトラップがあり、時として、負けているゲームを大逆転できることもあり得るようになっています。このような逆転可能性、番狂わせがある方がゲーム性を維持しやすくなります。

しかし、この逆転可能性を仕事に盛り込む際には注意が必要です。せっかく、コツコツ毎日努力を重ねてきた人がゴール目前でふりだしに戻されてしまうと、バカバカしくなって努力しなくなる危険性があるからです。

一方、1月から12月までの1年間の競争をしていて、10月末時点で、あまりにも差が付きすぎている場合などには有効です。「あと2か月間はポイントを倍にする。だからまだ逆転の可能性があるぞ。最後まで諦めるな！」とすることで、参加者のモチベーションを保つことができるからです。

【ゲームデザイン⑪】サプライズ報酬（外発的動機付けで創造性を下げない）

ある仕事に対して報酬が与えられると、その仕事自体ではなく報酬をもらうことが目的となり、内発的動機付けを押し下げることにつながります。アクションと報酬が結び付くと「この報酬をもらうためには、○○をしさえすればいいんだな」と考えて、近道、抜け道を通ろうとして、本来、自ら取り組むべきものであるはずの「仕事」が、与えられた「作業」となってしまいます。

これを防ぐために、予期せぬサプライズ報酬を用意します。シューティングゲームの名作「ゼビウス」では、一見すると何もない場所なのに、レーダーが触れると反応して光る地点がいくつかあり、そこに向かって地上攻撃用の武器であるブラスターを撃ち込むと「隠れキャラ」が出現するようになっています。「隠れキャラ」を出現させると2000点、さらに破壊すると2000点という高得点を獲得できます。私は、初めて「隠れキャラ」を出現させた時の驚きと喜びは今でも忘れることができません。

このようにゲームに変化を与え、他者にコントロールされている感覚を薄めることが重要です。シークレットルールも効果的です。

【ゲームデザイン⑫】ビジュアル・デザイン（わかりやすさ、使いやすさ、面白味）

ゲームに集中し、没頭するためには、何をすればよいかがわかりやすく、使いやすく、操作しやすいようになっている必要があります。見た目やデザインが綺麗で、面白みがあり、親しみやすい方がゲーム化を促進します。

ゲーミフィケーション・ツール

ここまで、ゲームデザイン・12のポイントを説明してきました。これらは、ゲームの味付けですので、すべてを網羅する必要はありません。しかし、私たちが営業のゲーム化のお手伝いをしている際、多くの企業から「ゲームデザイン・12のポイントを網羅して営業のゲーム化をアシストするような道具があると手っ取り早くてよい」という要望をいただきました。そこで私たちは、営業の仕事をゲーム化するゲーミフィケーション・ツール「Sales Force Assistant」を開発しました（**図-8**）。

このツールは、見た目や動きがかわいらしい電子秘書が、リアルな秘書と同じように、営業スタッフの仕事をアシストしてくれるものです。

顧客とのやりとりの内容をメモ書きすると架空通貨（エネコイン）がもらえます。さらに、案件を受注すればボーナスエネコインがもらえます。

そして、電子秘書に感謝を伝えると、ポイントが貯まって秘書機能が強化され、いっそう、自分に役立つアシストをしてくれるようになるという仕組みです。

訪問準備アシスト

クレーム・ケア・アシスト

サクセスアシスト

ハッピーバースデーお知らせ

創立記念日お知らせ

決算月お知らせ

スケジュールお知らせ

マッピングアシスト

TOUCH！

ボトルネックサーチ

ヌケ・モレ予防

他者コンタクト通知

案件進捗漏れ通知

情報 Pickup

在庫ステータス変更通知

DMV アシスト

スティッキーメモ

キャンペーンダービー

個人目標達成アシスト

BINGO！

イベントカウントダウン

エネコイン貯金

キャラ設定・着せ替え

アシスタント育成

図-8 ゲーミフィケーション・ツール「Sales Force Assistant」

電子秘書 N愛子さん（仮名）

▼ゲーミフィケーション・ツール「Sales Force Assistant」とは…

キャラクター化された電子秘書が営業マンをアシストしてくれるもので、営業をゲーム化するための便利なツールです。

単にゲームで遊ぶわけではなく、営業の仕事を秘書としてアシストしながらゲームの要素も実現します。
顧客との対応内容をメモ書きすると架空通貨（エネコイン）がもらえ、案件を受注するとボーナスエネコインがもらえます。

電子秘書に感謝を伝えるとポイントが貯まってレベルアップします。そして、レベルが上がると秘書機能が強化され、訪問準備を手伝ってくれたり、お客様の誕生日を教えてくれたりと、いっそう、自分に役立つアシストをしてくれるようになるのです。

貯まったエネコインで、服や髪型などのアイテムを購入し、電子秘書を自分の好みのスタイルに着せ替えることもできます。

営業をゲーム化する中で開催されるダービーレースで自分の代わりに競争してくれたり、ビンゴのマスを開けてくれたりします。

また、貯まったエネコインで服や靴、メガネなどのアイテムを購入して、電子秘書を自分好みにセルフカスタマイズしていくこともできます。

さらに、電子秘書が自分の代わりに業績アップゲームのレースを走ってくれたり、ビンゴのマスを開けてくれたりと営業のゲーム化をアシストしてくれます。

Sales Force Assistant には、**図-9**のようにゲームデザイン・12のポイントが内蔵されています。営業をゲーム化する際に、こういったＩＴツールが必ず必要になるというわけではありませんが、手っ取り早く営業のゲーム化に取り組みたい時には導入を検討してもよいでしょう。

図-9 「Sales Force Assistant」とゲームデザイン・12のポイント

	ゲームデザイン・12のポイント	ゲーミフィケーションツール "Sales Force Assistant"
1	共感ストーリー	
2	レベル設定	電子秘書を褒めてあげると、アシスタントレベルが上がり、訪問準備を手伝ってくれるなどいっそう手伝ってくれるようになる
3	バッジ効果	レースに勝つともらえる金メダルはエネコインでは買えないレアアイテムで自分の電子秘書につけてあげると誇らしい気持ちになる
4	コレクション効果	金メダルを3個獲得するとバッジをもらえるので、せっかく2個獲得しているのであともう1つ獲得しようと思わせもうひとふんばりを促す
5	ソーシャル共有	ダービーレースやビンゴゲームを行うことによりゲームのプレーヤー同士のコミュニケーションが自然と活性化する
6	自発的参加	ダービーレースやビンゴゲームに参加するかしないかを自分で決めることができる
7	セルフカスタマイズ	電子秘書に洋服や靴、メガネなどのアイテムを買ってあげて電子秘書を自分好みにすることができる
8	習慣化クエスト	ゲーミフィケーション・ツールにログインするだけでエネコインをもらえるようにし、ログインすることを習慣にする
9	学習クエスト	次回予定欄を記載するとエネコインをたくさんもらえたり、自分が決めた目標に対する進捗を電子秘書がおしえてくれたりする
10	逆転可能性	ダービーレースで上位集団と下位集団に大差がついてしまった場合、ポイント付与率を変動させ逆転できる可能性を高めることもできる
11	サプライズ報酬	電子秘書がいつレベルアップするかはシークレットルールになっていて、いつレベルアップするのかドキドキしながら待つ
12	ビジュアル・デザイン	キャラクター化された電子秘書が可愛く褒めてくれたり警告してくれたりする

「営業のゲーム化」成功のポイント

ここで、営業のゲーム化成功のポイントをWiiやPlayStationなどのコンピュータゲーム機に置き換えて整理しておきます。

取り組みをゲーム化するための骨格となる「ゲーミフィケーション成立の4条件」は、さまざまなゲームを生み出す基礎となるゲーム機本体にあたると考えるとよいでしょう。

そして営業のゲーム化に取り組む際は、目をキラキラさせて嬉々として夢中でコンピュータゲームをしている時のプレーヤーのように行いたいものです。この時のプレーヤーの心情は、「営業のゲーム化にあたって共有しておくべきとらえ方」であると言ってよいでしょう。

さらに、楽しくビジュアルデザインされたコントローラーは、「ゲームデザイン・12のポイント」にあたると考えることができます。

そして、営業のゲーム化の3種類のゲーム（「業績アップゲーム」「スキルアップゲーム」「チームワークゲーム」）はテレビモニター上で展開されるゲームであると考えるとよいでしょう（図4-10）。

図-10 営業のゲーム化の成功のポイント・イメージ

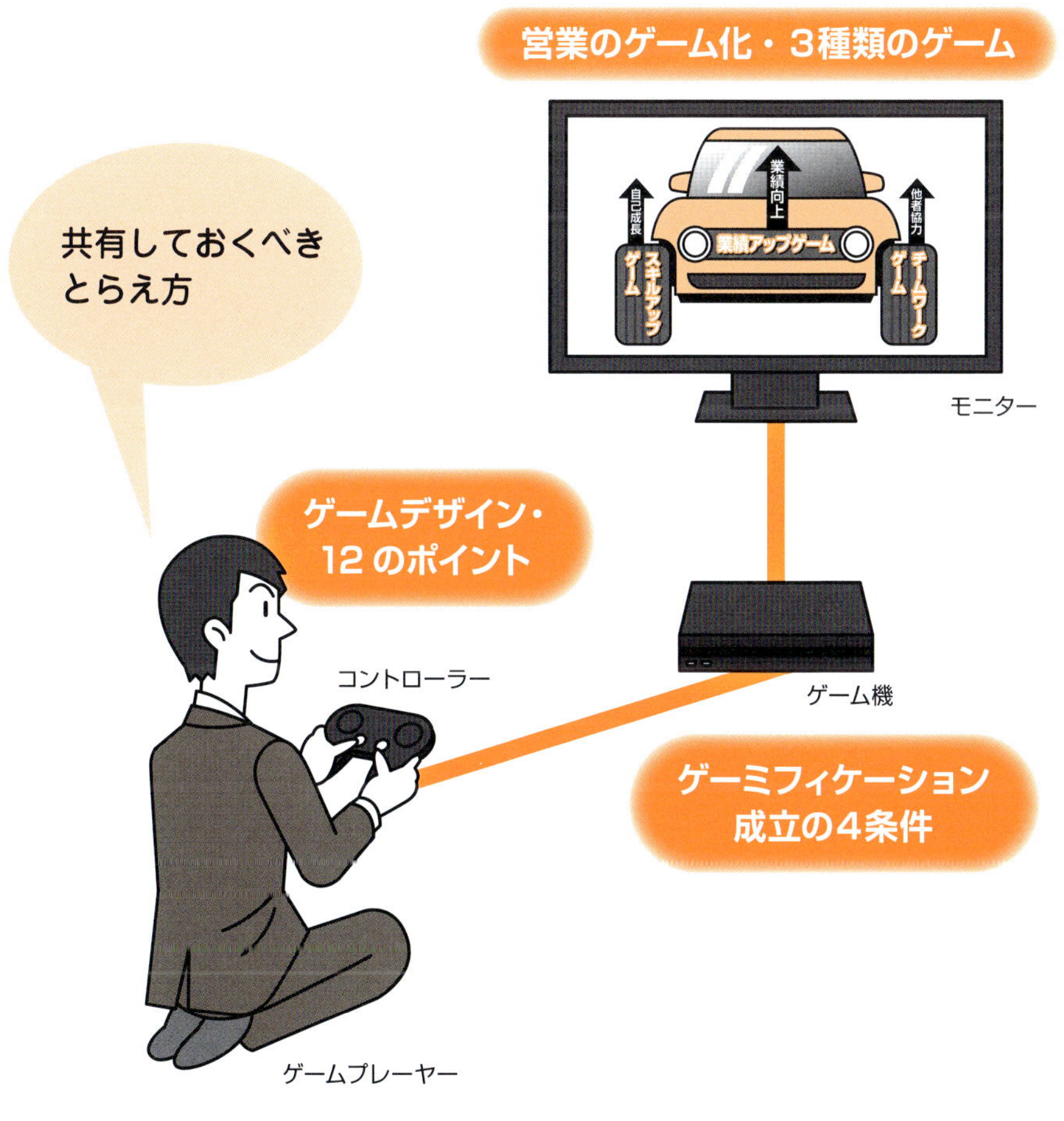

コンピュータゲームは、ゲーム機本体、ゲームをする人、ゲームコントローラー、テレビモニターが揃っている時に楽しく遊ぶことができます。これと同じで、営業のゲーム化を行う際にも、「ゲーミフィケーション成立の4条件」、「営業のゲーム化にあたって共有しておくべきとらえ方」、「ゲームデザイン・12のポイント」（12個すべてを揃える必要はありません）、「営業のゲーム化の3種類のゲーム」を揃えることが成功のポイントです。

PART 2

成果を生み出す「業績アップゲーム」

本章では、営業のゲーム化・3種類のゲーム（69ページの図-6）のうちの「業績アップゲーム」について取り上げ、実例を交えながら、業績アップゲームを成果につなげるためのポイントについて考えていきます。

まず、X社の事例を見ていきましょう。

企業内教育研修会社X社（福岡県）

～スパイゲームによるマーケティングからイノベーションを起こした～

X社は福岡県にある法人向けに教育研修サービスを提供している会社です。

X社の社長は考えています。

「昔は、毎年のリピートオーダーだけで売上増を実現できた。しかし、今は、顧客の従業員数が減っている。当然当社へのオーダーも減っていく。このままではジリ貧だ。新規開拓に注力しなくては！」

社長はさらに考えます。

「とはいえ、やみくもに新規開拓しても断られるばかりでムダになる。業績が伸びている会社にアタックしたい」

「新卒社員を採用する会社なら業績も伸びていて、人材育成ニーズも高いのではないだろうか？」

スパイゲーム開始

社長の戦略仮説は次のとおりです。

「自社を安定的に成長させていくためには、継続的な新規開拓が必要となる。それもただ新規の取引ができればよいのではなく、伸びる会社、伸びようとする会社を顧客にしていかなければならない。その点で、新卒社員を5名以上採用する会社は、業績が伸びていて、人材育成ニーズも高く、当社でいろいろお手伝いできることが多いだろう。新卒採用をするなら必ず実施するであろう新入社員研修を提案するのであれば、通常なら断られてしまいがちな新規開拓も、成功しやすいのではないだろうか。新卒採用や新入社員研修であれば、若い営業マンでも思い入れを持って提案しやすいだろう。自社は若い営業マンが多いので、ここを突破口にして新規開拓を進めていこう」

なかなか的を射た戦略のように思えます。では、この戦略の実行を指示・命令として営業現場に伝えるとどうなるでしょうか？　社長は目を閉じてシミュレーションしてみました。自社の営業マンが口では「やります。やっています」と言いながら、実際には「どうせ、新規開拓なんかうまくいかないよぉ……」と実行を怠っているシーンが頭の中に浮かんできて、社長は気分が悪くなりました。

「いったいどうすれば、皆にドライブをかけることができるのだろう？」社長は考え抜いた結果、営業のゲーム化を取り入れることにしました。「業績アップゲーム」をつくり、ゲームに取り組むことで、この戦略の実行を促すことにしたのです。

この段階で、社長が考えた戦略ストーリーは以下のとおりです。

・売り込んでも売れないし、嫌がられて営業マンの心が折れてしまう。

↓

・売りやすい先に売りやすいものをお奨めすることで新規開拓を加速させたい。

↓

・新卒社員を5名以上採用する企業に新入社員研修をお奨めすることは、売りやすい先に売りやすいものを提案することになるはずだ。

↓

・まずは、新卒社員を採用するのか、しないのか、するとしたら何名かなどを聞いてきて、ニーズがある先をターゲティングしながら新入社員研修をお奨めしよう。

↓

・新入社員研修で当社のよさをわかってくれたら、管理者研修やホスピタリィ研修、コンプライアンス研修なども発注いただけるにちがいない。

この戦略ストーリーを営業マンの活動に落とし込むと次のようになります。

未取引先訪問：○件→ヒアリング項目の諜報：○件→新入社員研修の提案：○件
→新入社員研修の受注：○件

これが、X社の業績アップストーリーです。社長は、この業績アップストーリーの中で、一番重要であり、かつ最も停滞しそうなのが「ヒアリング項目の諜報」であると仮説を立てました。そして、「ヒアリング項目の諜報」に注力して取り組むことで、この業績アップストーリーを実現したいという思いを込めて、このゲームを社長は「スパイゲーム」と名付けました。

社長の考えた「スパイゲーム」は次のようなものです。

①未取引顧客先に訪問して、以下の項目をヒアリング（諜報）してくる。
【諜報ヒアリングシート】
・新卒採用の有無（あり、なし、未定）
・新卒採用予定人数（○人）

・研修実施時期（1月、2月、3月、4月、5月、6月、7月……）
・過去の新人研修委託企業（α社、β社、γ社、内製、実施なし）
・研修ニーズ（内定者研修、マナー研修、管理者研修、営業研修、その他）
・その他の研修ニーズ（　　　　　　　　）
②課報ヒアリングシートの項目を1つ埋めるごとに1マス進むダービーレースをする。
③課報してきた情報に基づいて、ターゲッティングし直し、再度アプローナする。

「業績アップゲーム」の構想が固まった社長は、営業マンを集めてこう言いました。

「今日から営業部でゲームをやるぞ。名付けてスパイゲーム。君たちは、スパイだ！」

「課報ヒアリング項目はこれだ（図-11）」

「だれが一番多く課報できるかダービーレースをやるぞ」

「ちなみに、優勝者には豪華賞品が出るかもしれません」

これで、ゲーミフィケーション成立の4条件の①《何をすべきかが明確になっている》が整いました。

図-11 X社のヒアリング諜報項目

諜報ヒアリング項目

新卒採用の有無	○あり ○なし ○未定	採用予定人数	人
研修実施時期	□1月 □2月 □3月 □4月 □5月 □6月 □7月 □8月 □9月 □10月 □11月 □12月		
過去の新人研修委託企業	□α社 □β社 □γ社 □内製 □実施なし		
研修ニーズ	□内定者研修 □マナー研修 □管理者研修 □営業研修 □その他		
その他研修ニーズ			

スパイゲームにだんだんハマる営業マン

とはいえ、集合させられていきなり「ゲームをやるぞ！」と言われた営業マンは困惑しています。

「え？　ゲームですか？　何それ、まぁ、わかりました……」

今までさんざん社長から、「数字を上げてこい」、「売ってこい！」と叱咤されていた営業マンたちは戸惑いを隠せません。

営業マンたちは心の中ではこう言っています。

「あー、もう、また社長、どこかのコンサルタントに変なことを吹き込まれたな……」

しかし、無視するわけにはいきませんから、営業マンたちはしぶしぶ、スパイゲームに取り組みます。

X社では、ゲーミフィケーション・ツール「Sales Force Assistant」を使っており、だれがどのくらいの項目を課報ヒアリングしてきたかというダービーレースの結果が図-12のように一目でわかります。ツールを使わない場合には、模造紙にスゴロクのようなマスをつくって貼り出してもよいでしょう。

これで、ゲーミフィケーション成立の4条件の②《自分が今どこにいるか可視化されている》が満たされました。

新規開拓に行くと当然「うちは、研修なんかいらないよ」と断られてしまうことがあります。

スパイゲームを始める前は、見込客から断られるとひどく落ち込んでしまう営業マンも多くいました。しかし、今回のスパイゲームのミッションは研修を売ることではなく、図-11のヒアリング課報項目を穴埋めしてくることです。ある意味、断られることを前提としていますので、むげに断られたとしても、落ち込んだりへこたれたりすることはありません。

しかも、課報ヒアリングシートの項目を埋めるごとに「Sales Force Assistant」の電子秘書が図-13のように褒めてくれます。もちろん、営業マン同士も気にし合って、「ナイス課報！」などと声をかけています。

これによって、ゲーミフィケーション成立の4条件の③《アクションに対する即時フィードバック（称賛）がある》が整います。

数か月経つと、徐々に新卒社員を5名以上採用する企業の「ターゲットダム」（新卒社員を5名以上採用する企業リスト）ができ上がっていきます。そこで社長は、ターゲットダムの中の顧客に対して、2巡目のアプローチをするように営業マンに指示しました。

社長の指示どおり、ターゲットダムの中の顧客に2巡目の訪問をし、新入社員研修を提案しているX社の営業マンはこう思います。

「あれ？　なんか、以前に、やみくもに飛び込み訪問していた時より、お客さんの反応がいいかも？」

図-12 X社のダービーレース画面

▼電子秘書が代わりに競争してくれる

ゴール:5件

順位	参加者	現在値
1	相川 弘	4件
1	前田 芳徳	4件
3	今井 吉武	3件
4	池内 弘樹	2件

順位	参加者	現在値
5	谷 浩一郎	1件
5	春日 良明	1件
7	内田 俊介	0件

図-13 電子秘書がかわいく褒めてくれる

▼良い仕事の見える化 グリーンカード

N愛子からのお知らせ
グリーンカードが24枚になりました。
前回(9月19日(火))より1枚減っています。
商談目的[訪問件数集計] 11枚(1枚DOWN)
商談目的[訪問件数集計外] 1枚(±0)
商談成果 10枚(±0)
受注確度 0枚(±0)
重要度 2枚(±0)
31

見た目やデザインが綺麗で、面白みがあり、
親しみやすい方がゲーム化を促進する。

「もしかして、おれのトークの腕が上がったのかも？」

「さすが、おれっ！」

ニーズのありそうな先、売れそうな先に売れそうな商品を提案しているので顧客の反応がよくなるのは当たり前なのですが、営業マンは手応えを感じ、自己効力感を高め始めたようです。

ゲーム化によって中だるみ気味な心に火を灯《とも》す

もちろん、今ひとつ気分が乗らない時もあります。そんな時は、電子秘書ちゃんが、大ヒットゲーム「ゼルダの伝説」のキャラクターのナビィのように、営業マンを助けてくれます（図-14）。

「昨日よりも順位が上がっています。さすがです。この調子で行きましょう！」

電子秘書ちゃんからそんなことを言われた営業マンのB君は、レースがどうなっているかを見てみます。すると、なんと2位につけているではありませんか。

「よし。せっかくだから1位になってやるぞ」

中だるみ気味だったB君の心に再び火が灯ったようです。

その結果、B君は見事優勝しました。B君は、図-15のように金メダルをゲットして同僚からとてもうらやましがられたと言います。金メダルがもらえたというのは、B君にとって心的報酬だったようです。

このことは、ゲーミフィケーション成立4条件の④《ゴールするか達成すると、報酬（金銭に限らずモノでも心的報酬でも良い）がもらえる》ということ、そのものだと言ってよいでしょう。

そうこうしていると、電子秘書から次のような案内が届きました。

「そろそろ研修内容を検討する時期が迫っている企業があります」

これは、営業マンにとってとてもうれしい情報です。それを見た営業マンは、研修の検討時期が迫っている企業に提案に行きました。すると、たまたまかもしれませんが、見事受注し新規開拓に成功しました。このたままでもいいから、ゲームのストーリーに沿って、成功体験が出ると、ゲームに取り組む意義を感じ、自己効力感もアップして、「よし、またやってやろう」という気になるという流れが大切です。最初は、あまり乗り気でなかった営業マンも徐々に盛り上がり、引き込まれていきます。

このスパイゲームを通じて、X社の営業マンは、営業とは諜報活動による仮説検証の繰り返しだということを理解しました。そして、今では新規先への訪問を楽しむようになっています。そして、当然業績アップにもつながったわけです。これが「業績アップゲーム」の典型的な事例です。

図-14 電子秘書が励ましてくれる

N 愛子からのお知らせ
諜報ダービーレース
昨日よりも順位が上がっています。
さすがです。この調子で行きましょう！
31
DMV

図-15　ゴールするか達成すると、報酬がもらえる

▼ダービーレース 表彰台画面

メダルやバッジはエネコインでは買えないレアアイテム。

ブラッシュアップした業績アップストーリーの実行もゲーム化

X社が業績アップゲームに取り組んだ結果、「Sales Force Assistant」には自然と営業マンの活動情報が定性情報、定量情報とともに蓄積されていきます。この情報を業績アップストーリーのブラッシュアップのための材料として使います。

たとえば、電子秘書が図-16のように営業プロセス上のボトルネックである可能性のある箇所を教えてくれたりします。X社では、21件の新規ターゲットに対して、初回訪問を16件行い、その中から15件のセカンド訪問をし、提案書を4件提出しています。そして見積書を11件提出して、3件の受注を獲得しているということを図-16のように電子秘書が教えてくれました。明確かに、次のプロセスに進む際に一番減少率が大きいのは提案書提出です。ということは、提案書提出がボトルネックである可能性が高いと言えます。X社の営業マンは、新入社員研修などの提案を口頭では説明していましたが、カリキュラム案として文書化して提出するということをあまり行っていませんでした。このことがボトルネックになっているのではないか、と電子秘書が教えてくれたわけです。

社長は、本当に提案書提出がボトルネックなのか、それとも何か他の要因があるのかを定性情報とも照らし合わせながら検討しました。その結果、やはり提案書提出がボトルネックであると推察されました。新たな仮説です。そして、この提案書提出がボトルネックになっているという仮説を検証するために、提案書提出に注力することを決めました。これが業績アップストーリーのブラッシュアップです。仮説検証サイクルを回したと考えてもいいでしょう。

「新入社員研修は『提案書をきちんと提出しながら』お奨めすれば成功率が高まるのではないだろうか？」

社長はこう考えたわけです。その際に、「おい。提案書提出がボトルネックになっているぞ！これからは提案書を必ず出すように!!」とだけ指示するとどうなるでしょうか。X社には、口頭で伝えた研修コンテンツを文書化することが苦手な営業マンが多いのです。提案書作成が苦手な人が多いからこそ、提案書提出がボトルネックになっているとも言えます。苦手なことを、「さぁやれ！　早くやれ！　たくさんやれ！」と発破をかけても、笛吹けども踊らず状態になってしまうことは明白でした。そこで、社長は、次のようにアナウンスしました。

「提案書提出ゲームをやるぞ！」

すると、どうでしょう。営業マンたちも、「ゲームならまぁやってみるかぁ」と取り組みを始めたのです。

重い荷物を持ち上げる時に一番力が必要なのは、荷物が地面から離れる瞬間です。どんなこ

図-16 電子秘書が戦略修正も手伝う

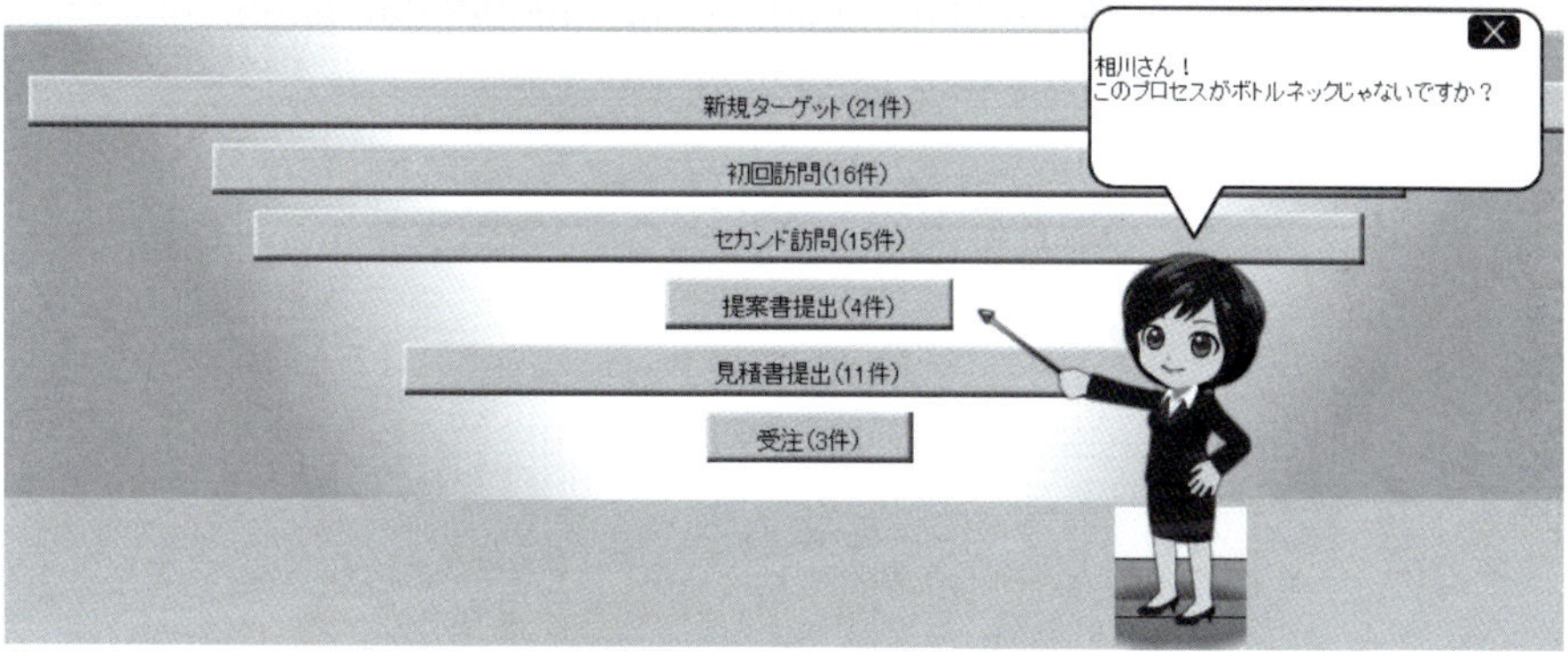

電子秘書にアシストされながらゲームをしていると、
自然と仮説検証でき、戦略修正のための材料が手に入る。

とても新しいことを始める際には、始めるその瞬間に最も負荷がかかります。いわゆる初動負荷です。ゲームにはこの初動負荷を軽減する効果があります。X社の提案書をきちんと提出するという取り組みも、ゲームの初動負荷軽減効果がうまく作用したようです。

そして電子秘書が、ブラッシュアップした業績アップストーリーの実行も手助けしてくれます。提案書提出が滞っていると図-17のように怒ってくれます。もちろん提案書をきちんと提出した時には前出の図-13のようにかわいく褒めてくれるのです。提案書提出数が増えるとともに、仮説を立てた業績アップストーリーのとおり、成功率が高まっていきました。こうして、X社はさらなる業績アップを実現したのです。

図-17 電子秘書が業績アップストーリーの実行を手伝う

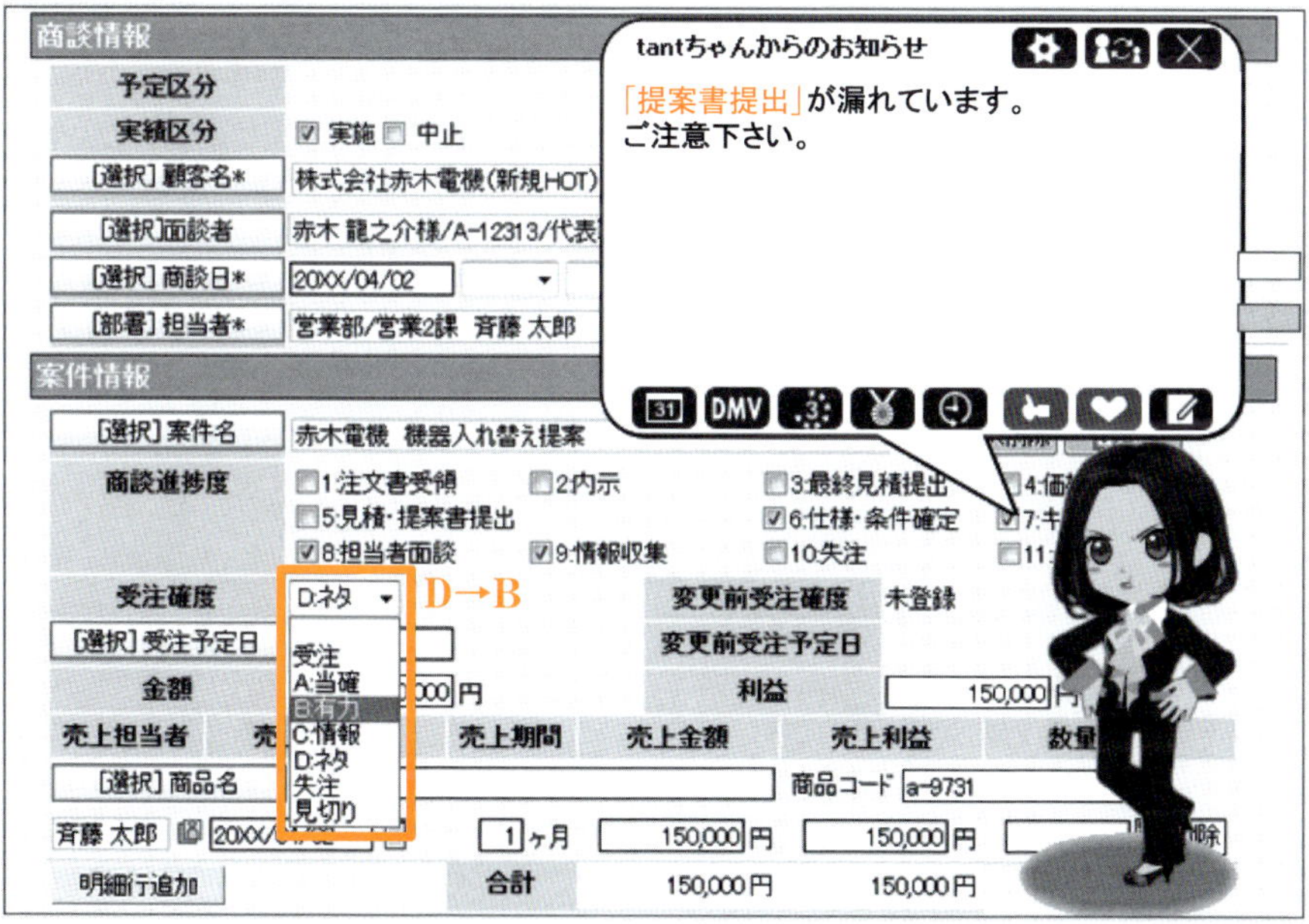

「業績アップゲーム」がイノベーションを生み出す

X社は、営業のゲーム化によって業績アップストーリーに力強く取り組み、仮説検証することによって業績アップストーリー自体をブラッシュアップしました。これは63ページの図-4の「仮説検証ダブルループ」の下のループである営業仮説検証ループを力強く回したということを意味します。

次にダブルループの上のループである戦略仮説検証ループを見ていきます。X社が新入社員研修の提案をしていると、「当社に講師の先生に来てもらって開催する研修ではなくて、eラーニングで実施してほしい」などと現状のX社では対応できない要望をもらうケースも出てきます。このような場合、これまでX社の営業マンは、なんとか自社の研修の売り込みにつなげようと、実際にはありもしないeラーニングのサービスをあたかもあるように振る舞いながら、「もちろんeラーニングもよいのですが、講師が出向いてインタラクティブに行う研修の方がより効果があります」などと顧客を言い負かすような説明をしていました。

しかし、スパイゲームでは、そうした自社で対応できない要望が出てきた際は、【その他の研修ニーズ】という項目に記載しておけばよいというルールにしてあります。ですから、X社の営業マンは、無理押しせず、自社にeラーニングのサービスがないということも包み隠さず顧客に伝えるようになりました。その結果、X社では、顧客からのリクエストや声なき声が「Sales Force Assistant」のデータベースに多数蓄積されていきました（図-18）。

蓄積された情報をどう活かし、自社の戦略修正につなげていくかが、戦略仮説検証なのですが、eラーニングのニーズが大きく、自社ではまだそれに取り組めていないということに着目すれば、新たなサービス導入に向けた手を打ってもよいでしょう。これを現場の営業マンに要求しても意思決定ができません。ゲームを通じてどんどん情報が吸い上がってきますから、それを幹部、経営者がモニタリングして、次の戦略立案に活かすことを忘れてはいけません。

X社では、その前に、蓄積された情報を見ていた営業マンC君が、あることに気づきました。

「ん？　ダムの中の顧客反応を見ると、新入社員も社会に出たばかりで不安なのだろうけれど、先輩社員もどういう態度で新入社員を受け入れたらよいかわからず、とまどっているようだ。それなら、新入社員『受入』研修を提案すると喜んでくれるお客さんがいるんじゃないだろうか？」

C君は社長と相談し、新入社員受入研修をメニュー化しました。そして、C君を含めた営業マン全員で、新入社員受入研修を提案することにしました。もちろんX社は、この諜報活動もゲーム化します。名付けて「新入社員受入研修提案グランプリ」です。結果的に、この新入社員受入研修は、新入社員研修以上に多くの企業に採用されるX社の人気メニューとなりました。X社は営業マンが参加するスパイゲームによって吸い上げたマーケット情報を利用して、新入社員受入研修という新メニューを開発したのです。

この一連のX社の取り組みは、戦略仮説検証そのものであり、同時に、新商品を開発するイノベーションであるとも言えます。X社は「業績アップゲーム」によって、仮説検証ダブルループを高速回転させることに成功したのです。

もちろん、X社の営業マンが、営業とは、単に与えられたモノを売る仕事ではなく、マーケットからの反応を社内にフィードバックして、商品や販売方法をブラッシュアップすることでイノベーションを生み出す活動であるということを、実感として体得したことは言うまでもありません。

郵便はがき

料金受取人払郵便

新宿支店承認

7043

差出有効期間
平成27年8月
31日まで

1638791

999

(受取人)
日本郵便 新宿支店
郵便私書箱第330号

(株)実務教育出版

愛読者係行

フリガナ お名前		年齢　　　歳 性別　　男・女
ご住所	〒 電話　　　(　　　　)　　　　自宅・勤務先 電子メール・アドレス (　　　　　　)	
ご職業	1. 会社員　2. 経営者　3. 公務員　4. 教員・研究者　5. コンサルタント 6. 学生　7. 主婦　8. 自由業　9. 自営業 10. その他 (　　　　　　)	
勤務先・学校名		所属(役職)または学年

この読者カードは、当社出版物の企画の参考にさせていただくものであり、その目的以外には使用いたしません。

【書名】営業のゲーム化で業績を上げる

◎ご購読いただき、誠にありがとうございます。
◎お手数ですが、ぜひ以下のアンケートにお答えください。

該当する項目を○で囲んでください

◎本書へのご感想をお聞かせください

・内容について	a.とても良い	b.良い	c.普通	d.良くない
・わかりやすさについて	a.とても良い	b.良い	c.普通	d.良くない
・装幀について	a.とても良い	b.良い	c.普通	d.良くない
・定価について	a.高い	b.ちょうどいい	c.安い	
・本の形について	a.厚い	b.ちょうどいい	c.薄い	
	a.大きい	b.ちょうどいい	c.小さい	

◎本書へのご意見をお聞かせください

◎お買い上げ日／書店をお教えください

年　月　日／　市区町村　書店

◎お買い求めの動機をお教えください

1.新聞広告で見て　2.雑誌広告で見て　3.店頭で見て　4.人からすすめられて
5.図書目録を見て　6.書評を見て　7.セミナー・研修で　8.DMで
9.その他（　）

◎本書以外で、最近お読みになった本をお教えください

◎今後、どんな出版をご希望ですか（著者、テーマなど）

◎ご協力ありがとうございました。

図-18 ダムの中には顧客の声なき声が溜まる

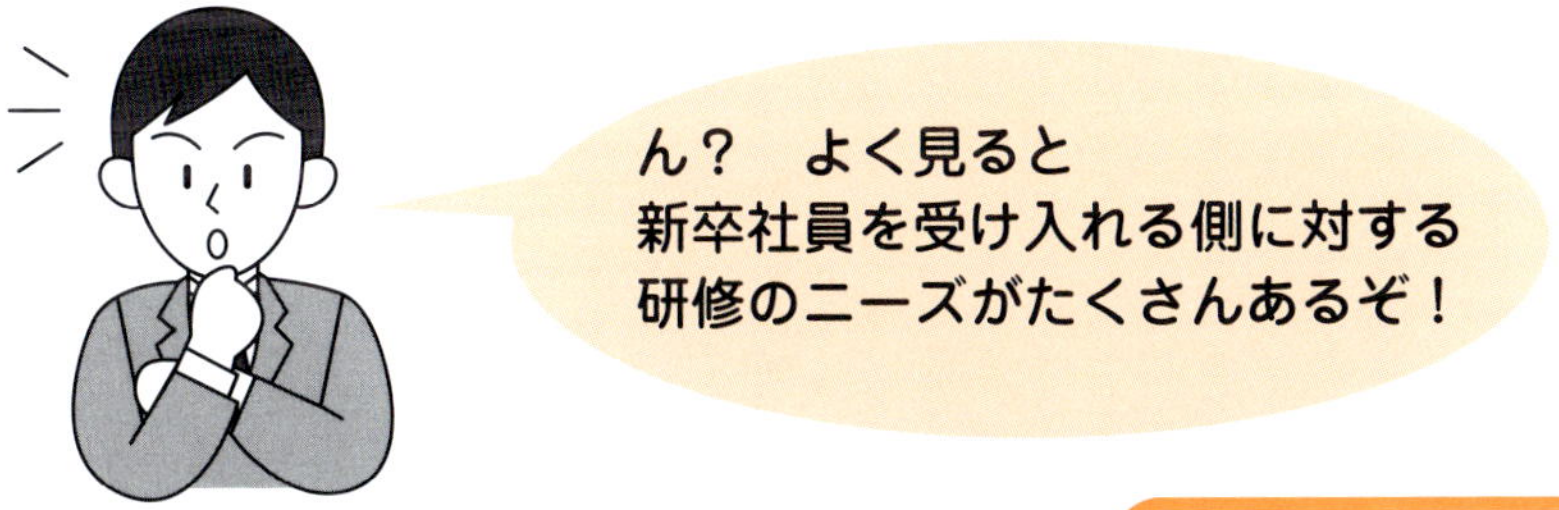
ん？　よく見ると
新卒社員を受け入れる側に対する
研修のニーズがたくさんあるぞ！

顧客名	住所1	TEL	研修ニーズ	その他研修ニーズ
エアーワールド株式会社	福岡県福岡市博多区博多駅東*-*-*	092-477-****	その他	受入れ側に対する研修
越中機械産業株式会社	福岡県福岡市中央区大名*-*-*	092-735-****	その他	コンプライアンス研修
株式会社さとう	北九州市小倉北区上富野*-*-*	093-551-****	管理者研修	
株式会社イーテクノサイエンス	福岡県福岡市博多区博多駅前*-*-*	092-441-****	その他	eラーニング
株式会社カマタインフラテック	北九州市門司区大里本町*-*-*	093-371-****	その他	受け入れ側に対する研修
株式会社サメズ電気	北九州市八幡東区平野*-*-*	093-671-****	その他	受け入れ側に対する研修
株式会社シノザキ	北九州市小倉南区中曽根東*-*-*	093-473-****	その他	受け入れ側に対する研修
株式会社遠藤電機	福岡県福岡市博多区博多駅東*-*-*	092-435-****	その他	eラーニング
株式会社加藤電機埼玉工場	福岡県中央区天神*-*-*	092-737-****	その他	受入れ側に対する研修
株式会社河内エレクトロニクス	北九州市戸畑区中原新町*-*-*	093-883-****	その他	受け入れ側に対する研修
株式会社吉田	福岡県福岡市博多駅東*-*-*	092-411-****	マナー研修	

先行指標を用いて、ゲームのストーリーを業績アップストーリーにする

X社の業績アップゲームを見てきました。私たちはX社の事例から何を学ぶべきなのでしょうか？　X社は、決してただ単に楽しい雰囲気にして勢いをつけるためだけに営業のゲーム化に取り組んでいるのではありません。X社は、業績向上のために重要な行動や重要であるにもかかわらず滞りがちな活動を特定し、その行動や活動にのめり込んで取り組ませることで成果を上げるためにゲームの力を使っています。

ここに、営業のゲーム化を業績向上につながるものにするための重要なヒントが隠されています。単なる娯楽としてではなく、業績向上のためのゲームにしていくためには、ゲームが業績向上のストーリーに沿った形で設計されている必要があります。ゲームをクリアしたりゲームに優勝すると、自ずと成果につながり、業績向上が実現するというストーリーです。

そこで、重要になってくるのが「先行指標」という考え方です。「先行指標」とは、成果そのものではなく、成果を得るために必要となる事前のアクションがどの程度実行されているのかを示す指標のことです。

たとえば、「アポイント取得→面談→提案書提出→成約」というプロセスで営業を行う会社の場合は、最終的に得たい成果は「成約」で、「成約」の先行指標が「提案書提出」、その先行指標が「面談」、さらにその「面談」の先行指標は「アポイント取得」ということになります。

この場合は、「成約獲得ゲーム」を行うのではなく、「面談件数ダービー」や『アポ取りゲーム」を行うことが有効です。成約件数をゲームの得点にした場合、それは、成約目標ノルマを追いかけることをゲームと呼び替えているに過ぎません。それでは、プロセスの改善ができませんから、結果に変化も起きにくいのです。せっかくゲームをしたとしても、いつも成績優秀なトップ営業マンが、毎度ゲームの勝者になることになってしまって、他の人は盛り上がりません。勝者があらかじめ決まっているゲームでは、面白くないわけです。

一方、「面談件数」や「アポイント獲得数」を競うゲームならどうでしょうか。成約を獲得することと比較して、アポイントを獲得することは、営業スキルによる差が出にくいでしょう。地道にコツコツ取り組めば得点することができそうです。X社が提案書提出ゲームを行ったように、プロセス上のボトルネックをゲーム化することによって、結果に変化をもたらすのです。

先行指標は、最終の成果よりもコントロールしやすく、また実施回数、成功回数も増えますから、本人に対してプラスのフィードバックを行う間隔が短くなり、また速くなります。それがゲーミフィケーション成立の3番目の要件である即時フィードバックを生むことにもつながるわけです。

ブレインストーミング・ゲームで業績アップストーリーをデザインする

では、どういう先行指標をどのようにゲームの得点にすればよいのでしょうか？　これを検討することは、まさに業績アップストーリーをデザインすることと同義であると言えます。ゲームデザイン・12のポイント①「共感ストーリー」を満たすようなワクワクするストーリーにすることはもちろん、せっかく営業をゲーム化するのですから、あの名作ゲーム「ＲＰＧツクール」を楽しむ時のように、ゲームをデザインするその工程自体も楽しみましょう。

業績アップストーリーをデザインする「業績アップストーリー・ディスカッション」を、ゲーム開催時に主要プレーヤーとなると予想される営業マンたちで、ワクワクしながら、それこそ、冒険のストーリーを考えるような気持ちで行うのです。

そのためには、次のような手順で行うとよいでしょう。

まず、一家言ある営業マンを5～7名程度集めます。

次に、集まってもらった営業マンに、自分が「勇者」＝「売れる営業マン」になった状態をイメージしてもらいます。そして、売れる営業マンである自分が実行するアクションをできるだけ数多く挙げていきます。

この時に、従来の営業のやり方にとらわれるのではなく、売れる営業マンになり切って本来のあるべき営業活動の理想像を思い浮かべて自由な発想で考えることが重要です。既存の制約条件にとらわれずに自由な発想で考えるためには、「ブレインストーミング」をするとよいでしょう。

ブレインストーミングは、

①言いたい放題、自由に発想する
②他人の意見を絶対に批判しない
③少々ピントがボケていてもどんどんアイディアを出す（質より量）
④他人の意見を参考にして発想する（便乗歓迎）

という4つのルールに則って行うある意味ゲームのような手法です。

売れる営業マンである自分が実行するアクションをできるだけ数多く挙げていくのですが、その際に、黄色のポストイットを使います。1枚のポストイットには1つのアクションのみを書き込むようにしてください。たとえば「予算確認」「キーマン面談」「提案書プレゼン」「競合把握」などのような、売れる営業マンが実行し、成果が上がっているアクションがポストイットに書き込まれることになるでしょう。

制限時間は5分です。5分経過したら、メンバーの手元のポストイットの枚数を順に発表します。一番枚数の多かった人が、このブレインストーミング・ゲームの優勝者です。

次に、1回目の発表タイムです。1人1枚ずつポストイットを読み上げながら場に出していきます。黄色のポストイットを模造紙に順番に並べていきます。

すべてのアイディアが出揃ったら、2回目の発想タイムです。発想タイムが1回だけで終わらないように、少なくとも2回の発想タイムを設けましょう。2回目の発想タイムでは、すでに場にあるものと同じ内容を書かないことをゲームのルールに加えます。ただし、すでに場にある内容を発展させてアイディアを出すことはもちろん大歓迎です。

すでに場にあるものと同じ内容を書いてはいけないのですから、2回目の発想タイムでポストイットを書くのは苦しいはずです。それでもがんばってひねり出してください。こうしてひねり出されたアクションは、日頃見逃されがちで、それでいて本質をついていることが多いはずです。

2回目の発想タイムも5分間です。時間が来たら、1回目と同じようにポストイットの枚数を順に発表しましょう。そして一番枚数の多かった人を優勝者として拍手で称えましょう!!

またもや1回目と同じ人が優勝者でしょうか? それとも1回目に最下位だった人がリベンジしましたか?

そして1回目と同様に2回目の発表タイムです。全員の黄色のポストイットが出揃うまで、テンポよく発表を続けましょう。

次に、黄色のポストイットの中で、似た内容のものをまとめて、そのグループにふさわしい名前をつけてグループ名を表札としてピンク色のポストイットに書き込みます。

次にピンク色のポストイットを、初回訪問⇩担当者面談⇩一次見積提出⇩キーマン面談⇩提案書プレゼン⇩価格決定⇩受注などのように時系列に並べ替えて矢印でつなぎます。そうしてでき上がったものが業績アップストーリーです。

しかしこれで業績アップストーリー・ディスカッションが完了したわけではありません。むしろここからが本番と言ってもよいかもしれません。続いて、模造紙の業績アップストーリーを全員で眺めながら、この業績アップストーリーがスムーズに流れないとしたら、どこで停滞することが多いかをメンバー全員で考えます。たとえば、それぞれの件数が、初回訪問：10件⇩担当者面談：9件⇩一次見積提出：9件⇩キーマン面談：4件⇩提案書プレゼン：4件⇩価格決定：3件⇩受注：3件というような場合は、減少率が最も大きい「キーマン面談」がボトルネックにあたります。この場合は、「キーマン面談ダービーレース」を業績アップゲームとして開催すると決めるのです。

この時に、「キーマン面談ダービーレース」を開催し実行すると、ロールプレイングゲームで世界に平和を取り戻し自分のレベルも上がっていて、お金もあるし仲間もいるという状態になった時と同じような満たされた気持ちになるでしょうか？　どんどん成果が上がっていく気がしてワクワクが止まらなくなっていれば、業績アップストーリー・ディスカッションは大成功です（図-19）。

図-19

業績アップストーリー・ディスカッションの進め方

① 一家言ある営業マンを５～7名程度集める。

② 集まってもらった営業マンに、自分が「勇者」=「売れる営業マン」になった状態をイメージしてもらう。

③ 売れる営業マンである自分が実行するアクションをできるだけ数多く挙げていく。 ※この時に、ブレインストーミングを2回ゲーム感覚で行う。

④ 1回目のブレインストーミング、２回目のブレインストーミングともに一番多くアクションを挙げた人をゲームの優勝者として拍手で称える。

⑤ アクションを書き込んだポストイットを模造紙に貼り出しながら、メンバーが出したアクションを共有する。

⑥ ポストイットの中で、似た内容のものをまとめて、そのグループにふさわしい名前を（表札）をつける。

⑦ 表札を、初回訪問⇒担当者面談⇒一次見積提出⇒キーマン面談⇒提案書プレゼン⇒価格決定⇒受注などのように 時系列に並べ替えて矢印でつなぎ、業績アップストーリーをつくる。

⑧ 模造紙の業績アップストーリーを全員で眺めながら、この業績アップストーリーの中のボトルネックがどこにあるかを特定する。

⑨ ボトルネックに対して量が増えたり、質が向上したりするゲームを業績アップゲームとしてつくる。

⑩ ゲームを開催し実行すると、ロールプレイングゲームで世界に平和を取り戻し、自分のレベルも上がっていて、お金もあるし仲間もいるという状態になった時と同じような満たされた気持ちになることを確認する。

業績アップストーリー・ディスカッションのコツ

業績アップストーリー・ディスカッションを有意義なものにするためにはちょっとしたコツがあります。次の4点を踏まえてディスカッションを行うとよいでしょう。

①どんどん発言する

他のメンバーが意見を発表したら、それについての意見やアイディアを発言しましょう。

②お互いの言葉を揃える

たとえば、「提案」という言葉でも、人によってニュアンスが異なります。「商品プレゼン」という意味で使う人もいれば、「解決策の提示」という意味で使う人もいます。そのズレに気づかないまま「提案がねぇ〜」などと話し合ってしまうと、ディスカッションの結果もズレてしまうので注意しましょう。

③意見はだれのものでもない

自分の意見に固執しすぎてはいけません。意見が積み重ねられて、よりよいものになっていくことが大切なのです。自分が書いたポストイットは、模造紙に貼り付けた時点でいったん自分の元から手放してしまいましょう。

④最大の肝、楽しく話し合うこと

しかめっ面でダラダラとするのではなく、笑って楽しく、わいわいディスカッションしましょう。

自分では思いつかない意見が、他のメンバーから出てきます。それを受け止めて、相手には思いつかない意見をパスとして放ちましょう。発想や意見に、メンバーが新たな意見を付け加えていくことを楽しむのです。

とはいえ、時には激しい議論になることもあるでしょう。白熱してケンカになって、雰囲気が悪くなることもあるかもしれません。だからといって、議論を避けてばかりではダメです。意見の相違を曖昧なままにして検討を進めていけば、意見を取り入れてもらえなかったメンバーがゲームの開始段階で離反してしまう危険性があります。議論が必要な時は、感情的になるのは避けながら、しっかり議論するべきです。

その時に、1つだけしっかり頭に入れておいてほしいのは「意見の相違を解消するため」に議論をする、という点です。

議論は勝ち負けではありません。強い弱いはなく、上手い・下手があるだけです。議論が下手な人は、議論を勝ち負けだと思って、お互いの後ろにゴールがあって対決しているように想像します。もちろんそうではありません。

「同じゴールを目指してボール（意見）をパスしあうのが議論だ」と考えると議論は有意義なものになります。たとえ、その場で対立していても、対話を重ねることで、ゴールが見えてくるから議論するのであって、勝ち負けを決めるためではないのです。

お互いにパスを出し合いながら、突破口を探っているところをイメージしてほしいと思います。議論がこじれてきたら、「同じゴールを目指すために議論しようぜ！」とか「勝ち負け議論はやめにしよう」と発言する冷静さを取り戻してほしいと思います。

配席レイアウトも実は重要です。人と人が対面するのではなく、白紙の模造紙に全員が向き合うように坐りましょう。

対立する2つの意見のすり合わせがきっかけになって、よりよい案が導き出されることもあるのです。ブレインストーミングのゲーム性を活かして、しかめっ面でダラダラ話し合うのではなく、笑って、楽しく、わいわい議論することを目指しましょう。

メンバー1人ひとりが、ロールプレイングゲームで楽しんでいるかのように、「自分は勇者だ」という気持ちを失わないようにしながら「業績アップゲーム」のデザインをしていきましょう。

仮説検証を加速させるゲームにする

ロールプレイングゲームでは、どうやってお姫様を救い出そうか？　とか、このボスキャラをどうやって倒そうかとか、この洞窟をどう迷わずに抜けていこうか、と思案します。そして、「こうすればうまくいくんじゃないだろうか」と作戦を立てて実行します。実行すれば「よし倒せた！」とか「あれ、やっぱり迷っちゃった」と必ず結果が出ます。

うまくいかなかったらまた作戦を立てます。この一連の行為は仮説検証そのものです。

営業のゲーム化の「業績アップゲーム」もそのゲームに取り組むことが仮説検証の繰り返しになるようにデザインすることが重要です。

「見えれば気づく」⇩「気づけば動く」⇩「動けば変化する」⇩「変化を可視化する」

このサイクルをグルグルと回すことを、「仮説検証スパイラル」と言います（図-20）。

営業をゲーム化することによって、何をすべきかを明確にして、自分が今どこにいるかが可視化されると、ゲーム中にさまざまな気づきがあります。「あっ！　やばい。できていない」「あいつに負けている」「なんでA君はあんなに得点が高いのだろう？」などと気づくわけです。

図-20 仮説検証スパイラル

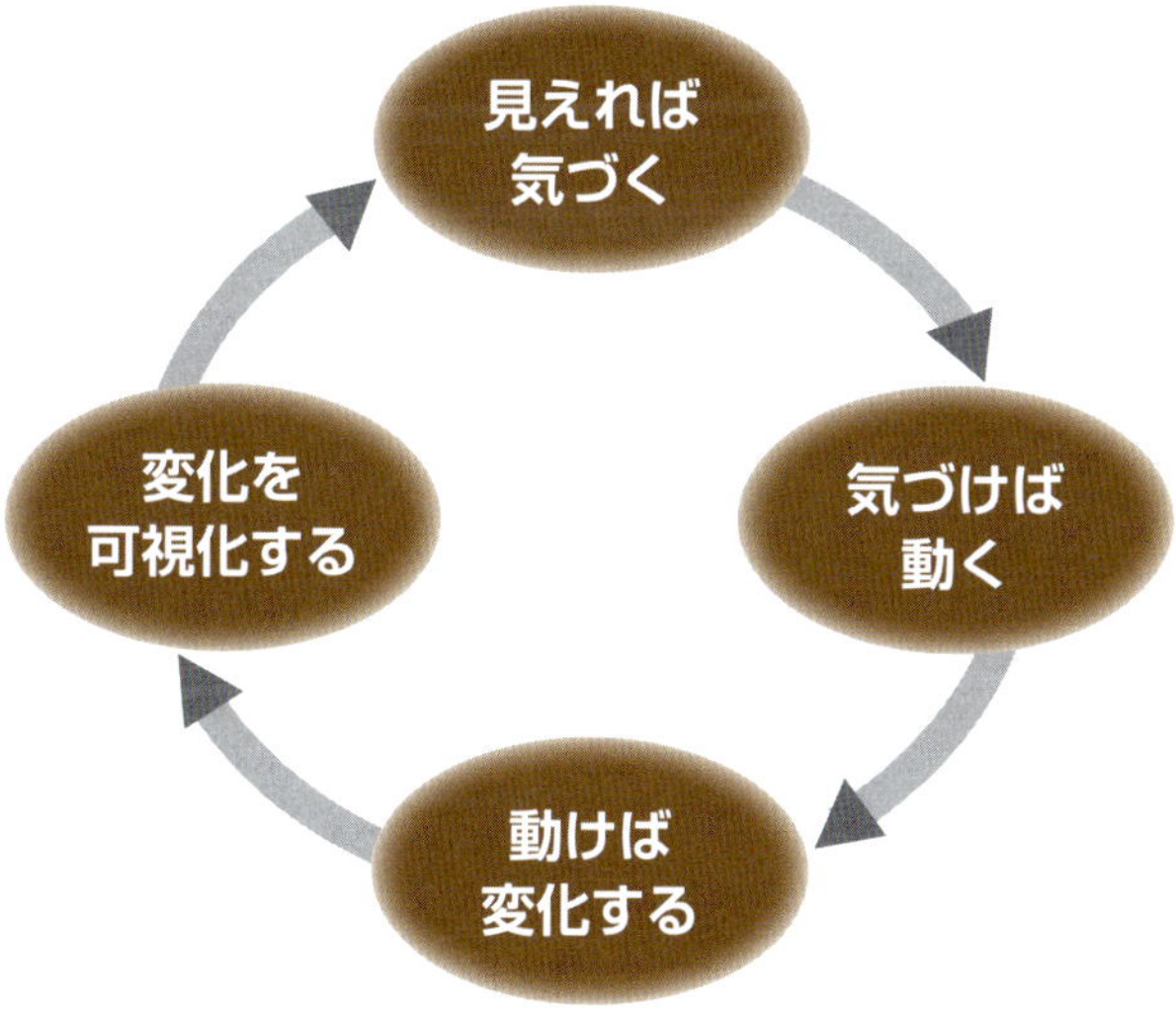
見えれば
気づく
気づけば
動く
動けば
変化する
変化を
可視化する

仮説検証スパイラルを「営業のゲーム化」で高速回転させる。

気づけば動きます。そして動けば必ず変化が生じます。変化が起きたらその変化をさらに可視化します。すると新たな気づきがあります。これは「仮説検証スパイラル」を回すことそのものです。

仮説検証スパイラル自体はゲーム化しなくても回すことができますが、営業のゲーム化によって、この仮説検証スパイラルが、日々、グルグルと、スピーディーに回転していくようになれば、大きな意味があります。

ゲーム中のアクションに対して、「もうひと息だぞ。A君のやり方を参考にしてみるといいぞ」と気づきを促すような応援フィードバックを行ったり、ゲームで優勝した人に対して「どのような仮説を立てて実行したか。その仮説を検証した際どうだったか」をインタビューし、ゲームの参加者で共有したりするとよいでしょう。優勝者インタビューは優勝者への心的報酬にもなります。

このように、ゲーム開催中の運用にひと工夫を加えることで仮説検証を加速させるゲームにしていきましょう

暴走しないように注意する

「業績アップゲーム」が盛り上がってくると、暴走する営業マンが出てくるケースがあるので注意が必要です。

暴走には大きく分けて2つのパターンがあります。

1つは、ゲームで得点を獲得することを目的化するケースです。たとえば、訪問件数を競うダービーレースに参加している営業マンが優勝したいあまり、顧客が不在であることを知りながらアポなしで訪問して件数を稼ぐような場合がこれにあたります。客先滞在時間が少なくなるので、不在先が多い方がより多くの訪問をすることができますが、そのような訪問件数に意味がないことは明白です。

もう1つは、自分に有利な条件のゲームをつくるケースです。そもそも自分が得意なことや日頃からたくさんこなしているアクションが得点になるようなゲームをつくったりするわけです。

自発的にゲーム化を考えたり、そのゲームに勝ちたいという前向きな気持ち自体は悪くないのですが、自分に有利なゲームを自分でつくってしまっては、ゲームに勝利することに意味がなくなってしまいますし、他のメンバーがしらけてしまいます。

どちらのケースも、暴走してしまった営業マンは、ゲームに踊らされてしまっています。ゲームに勝利することだけが目的のゲームでは、ただのゲームであって、営業のゲーム化ではありません。手段が目的化しないように管理者、経営者はケアしておく必要があります。

一部の人間だけが目立って、褒められるようなゲームばかりになったり、多くの参加者が、スタート時点から勝てそうにないと感じてしまうようなゲームを増やしてしまうと、ゲーム自体が成立しなくなりますし、場合によっては、逆に営業マンのやる気を削《そ》ぐ結果にもなりかねません。

ゲームの力で盛り上がって、つい暴走してしまうような人が出てくるというのは、ゲーム化がうまく効力を発揮し始めたことの裏返しでもあるので、参加者の心理も考えながら、うまく方向修正をして、進めていきましょう。

ゲームにはプレーヤーを暴走させてしまうほどの魔力があります。このことはゲームには限界があることを示しています。この点についての詳細は、エピローグで述べていきます。

PART 3

自己成長を促す「スキルアップゲーム」

営業マンがぶち当たる7つの壁を乗り越えるための「スキルアップゲーム」とは

ここからは、営業のゲーム化・3種類のゲーム（69ページの図-6）のうちの2つ目「スキルアップゲーム」について考えていきます。「スキルアップゲーム」は、学習クエスト（ゲームデザイン・12のポイント⑨）を効かせることで、壁にぶつかっている営業マンに自己成長を促すことを目的としたものです。

では、営業マンがぶつかる壁とはどのようなものなのでしょうか？

私たちは、多くの企業で数えきれないほどの営業マンと面談しています。売り先が法人か個人か、取扱い商材が標準品かカスタム品か、営業スタイルがルート型営業か案件型営業かなど、会社ごとに異なりますので、営業マンがぶち当たる壁も、会社ごとにさまざまです。しかし一方で、各社固有の壁があると同時に、あらゆる企業の営業マンが共通してぶち当たってしまう壁もあるのです。

営業マンが共通してぶち当たる壁は7つあります（図-21）。

1つ目の壁は「営業に出るのが怖い」というものです。断られることを恐れるあまり、営業

図-21 営業マンがぶち当たる7つの壁

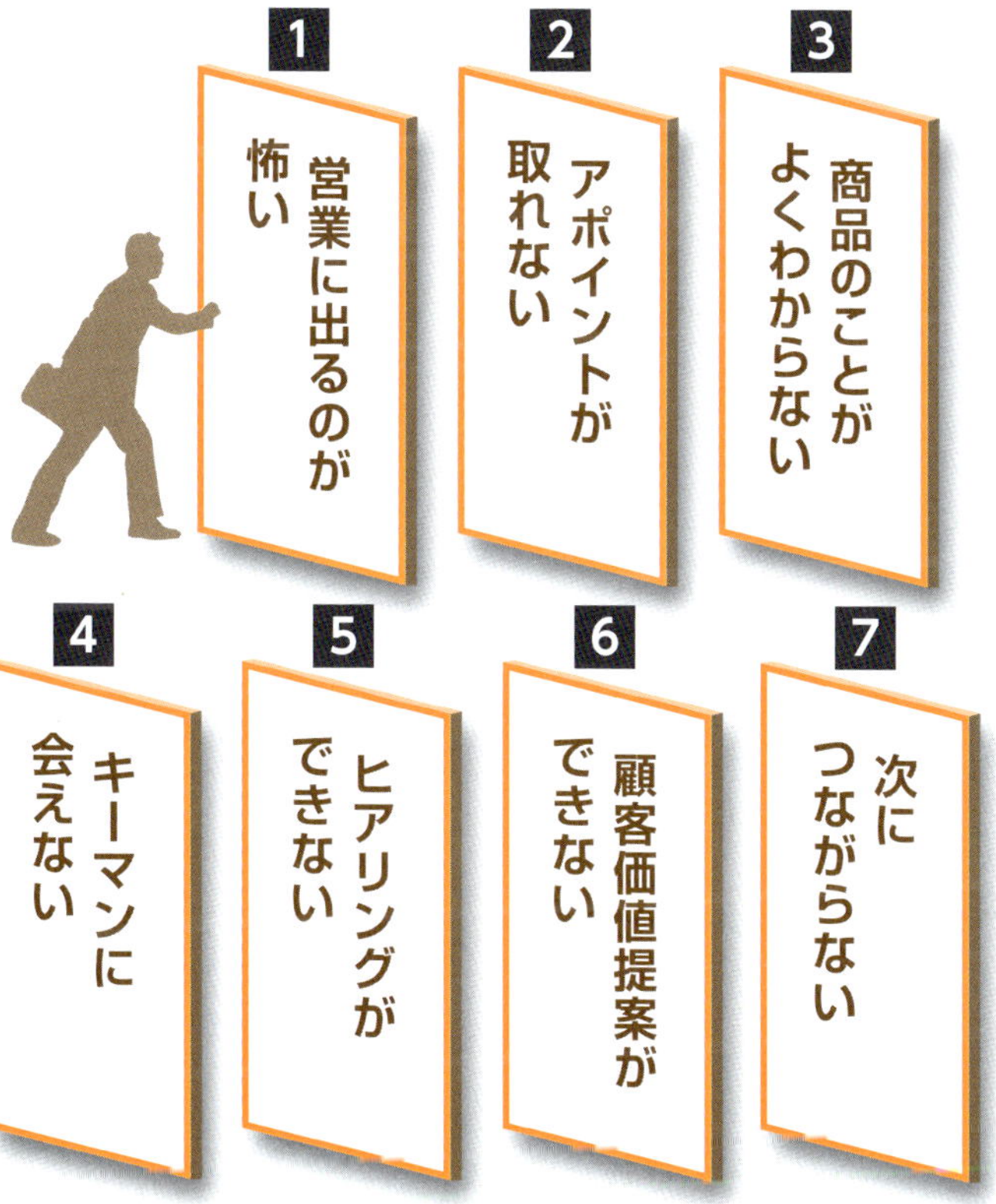
1
営業に出るのが怖い
2
アポイントが取れない
3
商品のことがよくわからない
4
キーマンに会えない
5
ヒアリングができない
6
顧客価値提案ができない
7
次につながらない

学習クエストの効いた「スキルアップゲーム」で
壁を乗り越えさせ、自己成長を促します。

に出る前から萎縮してしまっている状態の新人をよく見かけます。これではそもそも営業力を発揮できません。

2つ目の壁は「アポイントが取れない」というものです。アポイントが取れないまま電話口で断られ続けて、心が折れてしまう人が多いのです。外に出れば息抜きもできるところが、社内にいてアポイントが取れないとなると周囲から「なんだ、あいつは。いつも社内にいるぞ。暇なのか?」というプレッシャーがかかります。そして、精神的に追い詰められてしまうのです。この壁をうまく乗り越えていってほしいのです。

3つ目の壁は「商品のことがよくわからない」というものです。自分が扱っている商材についてよく知らない営業マンはお客様から質問されるのを恐れます。そして、質問に自信を持って答えられないと顧客に不信感を持たれてアウト。これでは成果は出ません。

4つ目の壁は「キーマンに会えない」というものです。キーマンでない人にいくらアプローチしても成果にはなりません。会いやすい人に会うというのは、経験の浅い営業マンが必ずと言っていいほど陥る失敗ですね。

5つ目の壁は「ヒアリングができない」というものです。せっかくキーマンに会えても、踏み込んだヒアリングができなければキーマンに会った意味がなくなってしまいます。場数を踏んで慣れればできるようなことでも、最初はどうしてもゼロからの積み上げが必要になります。

6つ目の壁は「顧客価値提案ができない」というものです。提案の場に立てているのに、一方的に商品のスペックばかりをまくしたてるようなことでは、とうてい成果にはつながりません。

7つ目の壁は「次につながらない」というものです。新規開拓にせよ、既存客へのルート営業にせよ、商談が1回で終わることはほとんどありません。顧客価値提案ができても、1回で購入を決定してもらえる商談はごくわずかなのです。次につなげることができなければ成約に至ることはありません。

7つも壁があるのです。難易度が高すぎてクリアすることができないゲームを「無理ゲー」と言いますが、何も教えずに放り出して顧客に鍛えてもらうという昔ながらの営業マン育成方法では、最近の若者には、「無理ゲー」と言われても仕方ないのかもしれません。

しかし、逆にこの7つの壁を乗り越えることができればどうでしょうか？　営業マンが、「僕は営業が苦手ではない」、「いや、むしろ得意だ！」と胸をはって言うことができるようになるはずです。

「ドラゴンクエスト」などのロールプレイングゲームでも、経験値を積みレベルが上がると、今まで行けなかったエリアに行けるようになります。7つの壁を乗り越えるための経験を積むことが重要なのです。そしてこの経験はゲームを行うことで積むことができます。

続いて、この7つの壁を乗り越えるための「スキルアップゲーム」を見ていきます。

スキルアップゲーム①「購買要因探索ゲーム」

営業マンがぶち当たる1つ目の壁である「営業に出るのが怖い」という点をクリアするためのゲームです（図-22）。断られることを恐れるあまり、営業に出る前から萎縮してしまっている状態の営業マンたちに、断られた時になぜ受け入れられなかったのかを聞いたり調べたりすることで、断られるたびに一歩ずつ受注に近づいていくのだということを納得させます。

《狙いと効用》

営業マンが営業に出るのを怖がる理由は、断られるのが怖いという気持ちがあるからです。特に経験の浅い若手営業マンは、顧客に断られることを自分の存在自体を否定されたかのように大げさにとらえて心が折れてしまうことがあります。そこで、このゲームによって、失注が受注のためのプロセスに過ぎないということを体感させ、断られるのが怖いという気持ちを払拭します。

また、断られる時に、ただ単に断られて引き下がるのではなく、「なぜ断わられたか？」という失注理由を聞いたり調べたりすることで、断られるたびに確実に受注に近づいていくということを納得させます。このようにして、営業に出るのが怖いという壁を乗り越えさせていきます。

《ゲームタイプ》

Ｏｆｆ-ＪＴ型のゲーム

《対象》

簡単なゲームで、だれでも気軽に参加できます。営業未経験者や若手社員を中心に、ベテランまで一緒になって行うとよいでしょう。参加人数は、１回あたり、30名までです。30名を超える場合は、２回に分けて行うとよいでしょう。２人１組で行うので人数が偶数になるように調整します。

《必要時間・期間》

このゲームは、１回あたり約25分でできます。

・ゲームの説明⇩５分
・ゲームの実施⇩15分
・順位づけと解説⇩５分

《準備》

①ゲームに必要な資料や事務用品は次のとおりです。

・車の種類や性能を示す購買要因探索シート（**図-22**）

・キャンディーなどのちょっとした賞品

②2人1組のチームを編成します。

《進め方》

・2人1組になって営業マン役と顧客役を決めます。

・最初に、**図-22**の購買要因探索シートから、たとえば、「定員：5人乗り、メーカー：国産車、スタイル：ファミリータイプ、エンジン：ハイブリッド車、予算：500万円、カラー：赤の車が欲しい」というように、まず顧客役が買いたい車の条件を決めます。顧客役はいったん買いたい車の条件を決めたら途中で変更してはいけません。

・営業マン役が顧客の購買条件を予想して、たとえば、「2人乗りで、国産車で、スポーツタイプで、ガソリン車で、300万円の赤色の車をお奨めします。いかがですか？」というように提案（オファー）をします。

・営業マン役のオファーが、買いたい車の条件と異なる場合、顧客役は、「買いません」と言います。失注したということです。失注した場合、営業マン役は、「そうですか。では、

図-22 スキルアップゲーム①

断られるのが怖いという気持ちを払拭するために失注が受注のためのプロセスにすぎないことを体感させる。

購買要因探索ゲーム

▼購買要因探索シート

◆あなたが買いたい車の条件を決めてください

本当にあなたの好みでも、このゲームだけでの設定でも構いません。
ゲームの途中で条件を変更することはできません。
売買が不成立になった時には、1つだけ答えを教えてあげてください。

【定　員】　2人乗り・5人乗り・7人乗り
【メーカー】国産車・輸入車
【スタイル】スポーツタイプ・ファミリータイプ
【エンジン】ガソリン車・ハイブリッド車　電気自動車
【予　算】　300万円・400万円・500万円
【カラー】　赤・黒・白

進め方

・2人1組になって営業マン役と顧客役を決めます。
・最初に、このシートから、たとえば、「定員:5人乗り、メーカー:国産車、スタイル:ファミリータイプ、エンジン:ハイブリッド車、予算:500万円、カラー:赤の車がほしい」というように、まず顧客役が買いたい車の条件を決めます。顧客役は一旦買いたい車の条件を決めたら途中で変更してはいけません。
・営業マン役が顧客の購買条件を予想して、たとえば、「2名乗りで、国産車で、スポーツタイプで、ガソリン車で、300万円の赤色の車をお奨めします。いかがですか？」というように提案（オファー）をします。
・営業マン役のオファーが、買いたい車の条件と異なる場合、顧客役は、「買いません」と言います。失注したということです。失注した場合、営業マン役は、「そうですか。では、ひとつだけ教えて下さい。お好みの定員数は何人乗りですか？」とか「お好みのカラーは何色ですか？」というように、条件を1つだけ質問します。顧客役は、「5人乗りがほしいのです」とか「赤色がほしいです」というように、質問された1項目だけを営業マンに教えてあげます。

＜ゲームの味付け＞

- 一番早く受注した組にキャンディーなどのちょっとした賞品を渡す。
- 賞品を渡した後、何回目で受注したかは単なる運に過ぎず、大きな問題ではないことを伝える
- 全員が6回目までに受注したことを確認する

1つだけ教えてください。お好みの定員数は何人乗りですか？」とか、「お好みのカラーは何色ですか？」というように、条件を1つだけ質問します。顧客役は、「5人乗りが欲しいのです」とか「赤色が欲しいです」というように、質問された1項目だけを営業マンに教えてあげます。

・第2ラウンドの提案（オファー）以降、繰り返します。
・6項目すべてが合致すれば売買成立です。
・全員が売買成立になるまで行います。
・次に、顧客役と営業マン役が入れ替わり、同じように繰り返します。

《留意点》

5組以上に対してこのゲームを行う場合、各組ごとにペースが異なり、全体としてのゲームの一体感を損ねてしまうケースがあります。司会者が1回ずつ掛け声をかけながら実施する方がよいでしょう。

また、一番早く受注した組にキャンディーなどの賞品を渡すといっそう盛り上がります。賞品を渡した後、何回目で受注したかは単なる運に過ぎず、大きな問題ではないことを伝えます。

司会役は、参加者全員が7回目までに受注したことを必ず確認し、断られることは、受注するためのプロセスに過ぎないということを納得させます。

また、購買要因ごとに顧客のニーズを押さえていけば、自ずと受注につながるということに気づかせます。

《このゲームの学習クエスト》

断られた時は、顧客ニーズを確認するチャンスだということ、購買要因ごとの顧客ニーズを確認していけば、自ずと受注につながるということを学びます。

【実践事例コラム①】

商業印刷F社　～あえて失注ゲームをするワケ～

商業印刷を事業とするF社は、社員数70名、営業マン20名の企業です。営業マン20名のほとんどは経験豊富なベテラン社員です。

F社は、数年前から新規開拓に注力しています。

しかし、もともと下請け仕事が売上の大半だったF社では、営業マンが新規案件発掘活動を積極的に行わないという問題が発生していました。

この問題の発生原因を考えていたF社社長は、あることに気づきました。

F社の営業マンは、ベテランとしてのプライドからか、体面を非常に気にしており、全力で提案した結果、却下されたり、ライバル会社に負けたりすることを極度に恐れていたのです。わざと本気で提案しないことで、失注した時にも「本気で提案していないのだから仕方がない」と自分を納得させられるようにしていたのです。

そのことに気づいたF社社長は、ある興味深いゲームを実施することにしました。失注した数を競う失注ゲームを開催したのです。通常は、受注数を競うところですが、このゲームではあえて失注数を競います。F社の失注ゲームは、「購買要因探索ゲーム」をF社の実業務に置き換えて実施したものであると言えます。

提案しなければもちろん失注はありませんが、受注するためには必ず提案をする必要があります。そして提案をすれば、勝率100%ではありませんから、残念ながら失注してしまうことも当然あります。一番よくないのは、失注を恐れて提案をしないことなのだとF社社長は考えたのです。

失注数を競わせることにより提案が失敗することに対する心理的障壁を低くするというF社社長の狙いは、見事的中しました。F社の営業マンは、ゲームだからということで、気負わずに提案を行うようになりました。そして、日を追うごとに提案数が増えていきました。それが自ずと売上増につながっていったのです。

また、失注ゲームを行ったことにより、提案の初期段階から失注（または受注）までの流れの詳細が見えるようになり、どのタイミングで提案プランサンプルを提示したらよいかなど、これまで個々の営業マンの中に眠っていたノウハウがオープン化されるという、当初想定していなかった効果も現れました。

F社の営業マンはベテランです。ベテランであるがゆえに、従来は、提案の仕方などのノウハウを営業マン同士で共有することなどほとんどありませんでしたが、ノウハウがオープン化されたことにより「なぜこのタイミングでこういう手を打ったのか」

といったような会話が交わされるようになったのです。これはまさにソーシャル共有（ゲームデザイン・12のポイント⑤）です。ベテラン同士がノウハウを共有し合うソーシャル共有が、社内が活性化するとともに、ベテラン営業マンのさらなる成長を促しています。

さらに、失注した件数だけを得点とするのではなく、失注理由を確認した場合は、さらに追加で得点を加点するというルールにしたことも大きなポイントです。F社の案件は、シーズンごとに毎年発生するものが多いため、昨年の失注理由を踏まえて提案する、といったことができるようになり、受注率向上に寄与しているのです。

スキルアップゲーム②
「どんどん会おう！　アポ取りゲーム」

これは、営業マンがぶち当たる２つ目の壁である「アポイントが取れない」という点をクリアするためのゲームです（図-23）。

アポイントとは、言うまでもなく事前に商談や会合の約束をすることです。営業の仕事は顧客と会って商談することがメインですから、アポイントは営業活動の第一歩と言えます。

アポイントを取らず、いきなり訪問することを「飛び込み訪問」「アポなし訪問」と言ったりしますが、不在のことが多く、効率が悪くなりますし、たまたま在席していたとしてもいきなり来られると顧客から嫌がられてしまいます。

本ゲームを行うことによってアポイントを取ろうとする行為を増やし、場数を踏み、慣れることによってアポイントを取れるようになることを狙います。

《狙いと効用》

アポイントを取れるようになるための最大のポイントは場数です。本ゲームでは良質のアポイントかどうかというアポイントの質はいったん度外視して、単純にアポイントの数だけを競うので、場数が増え、アポイントを取るという行為に慣れやすくなります。

《ゲームタイプ》

ＯＪＴ型ゲーム

《対象》

アポイントを取るのに尻込みをする新人営業マンや若手営業マンを対象にします。

また、呼ばれて行くばかりで、こちらから主体的にアポイントを取ろうとしないベテラン営業マンに対するカンフル剤としても本ゲームを活用できます。

《必要時間・期間》

１か月間、実際の業務の中で行います。

《準備》

ゲームに必要な資料などは次のとおりです。

・ゲームの得点申告シート（**図‐24**）→参加者数分

・参加者の順位表（模造紙大）（**図‐25**）→１枚

図-23 スキルアップゲーム②

打席に立つ回数が増えれば、
だんだんヒットを打てるようになる。

どんどん会おう！　アポ取りゲーム

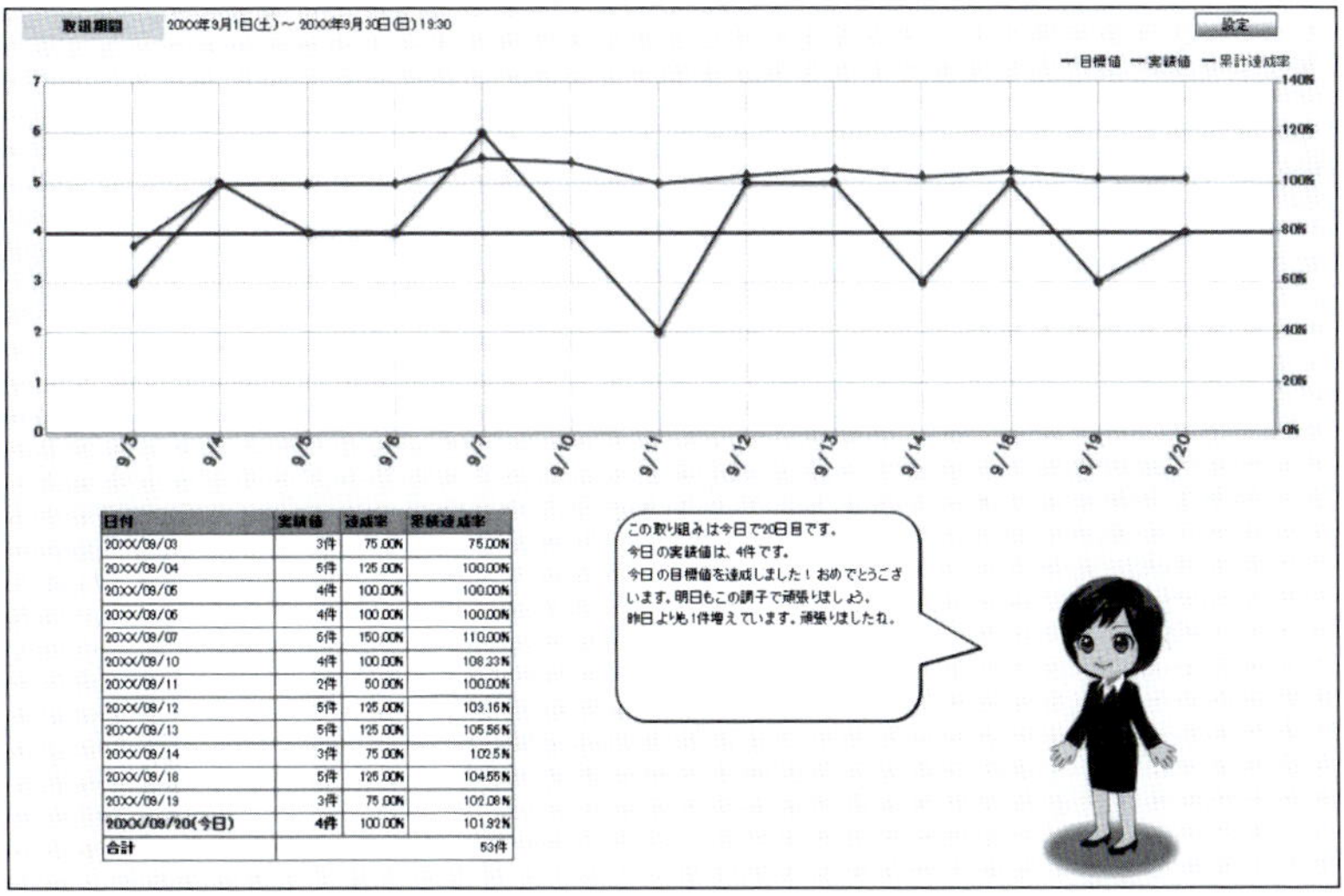

日付	実績値	達成率	累積達成率
20XX/09/03	3件	75.00%	75.00%
20XX/09/04	5件	125.00%	100.00%
20XX/09/05	4件	100.00%	100.00%
20XX/09/06	4件	100.00%	100.00%
20XX/09/07	6件	150.00%	110.00%
20XX/09/10	4件	100.00%	108.33%
20XX/09/11	2件	50.00%	100.00%
20XX/09/12	5件	125.00%	103.16%
20XX/09/13	5件	125.00%	105.56%
20XX/09/14	3件	75.00%	102.5%
20XX/09/18	5件	125.00%	104.55%
20XX/09/19	3件	75.00%	102.08%
20XX/09/20(今日)	**4件**	100.00%	101.92%
合計			53件

<ゲームのコツ>

①お役に立てそうな先をリストアップする
②アポイントは取れるものだと思って電話をする
③べらべら説明しすぎず「会う」という目的に集中したトークに徹する
④言葉づかいが丁寧すぎると売り込みのように見られて逆にアポイントを取りにくくなる
⑤アポイントが取れたら、その場で手帳に予定を書きこんでもらう
⑥お願い口調はダメ

図-24 得点申告シート(例)

得点申告シート

ゲーム名：＊＊＊＊＊＊＊＊＊＊＊＊

日付： 2014年2月12日

名前： 清永 健一

本日の得点：3点

図-25 順位表(例)

○月○日時点

順位表

あと残り○日！

		累計得点
1位	山田 太郎	27
2位	佐藤 二朗	24
3位	清永 健一	24
4位	鈴木 三郎	19
5位	＊＊ ＊＊	19
6位	＊＊ ＊＊	11
6位	＊＊ ＊＊	11

・参加者数分の割り箸。用意した割り箸のうち1本は、先端に赤色をつけておきます。
※アポイントを取った経験が一度もない新人を対象にする場合は、模範トーク文例や会話例を用意したり、事前にロールプレイングをして練習してから開始する方がよいでしょう。

《進め方》
・ゲーム参加者を集めて、以下のルールを説明します。
①1か月間に取得したアポイントの数を競うこと
②アポイントの質は問わず、単純にアポイントの数をポイントとして競うこと
・毎朝、朝礼時に、参加者の現在の順位を発表し、模造紙の順位表に点数を書き込みます。
・朝礼時に、一週間に1回または2回程度、不定期に、用意した割り箸を参加者におみくじのように引かせます。当たりくじを引いた人は、昨日取得したアポイント数の2倍のポイントを獲得するということにします。

《留意点》
割り箸おみくじのような仕掛けによって、サプライズ報酬（ゲームデザイン・12のポイント⑪）を効果的に加え、ゲーム的な遊び心を高めることで、参加者に単なる尻叩きではないという感覚を持たせ、前向きに取り組ませましょう。

また、ゲームの主催者は、参加者の順位を細かく確認することが重要です。うまくアポイントが取れず、順位が低すぎる人がいたら、①お役に立てそうな先をリストアップする、②アポイントは取れるものだと思って電話をする、③べらべら説明しすぎず「会う」という目的に集中したトークに徹する、④言葉づかいが丁寧すぎると売り込みのように見られて逆にアポイントを取りにくくなる、⑤アポイントが取れたら、その場で手帳に予定を書きこんでもらう、⑥お願い口調はダメなどのコツを教えてあげて、早めに救ってあげましょう。

《このゲームの学習クエスト》

お役に立てそうな先をリストアップし、いちいち悩まずに、「早くやる。さっさとやる」の精神で、次から次へと電話をかけていけば、意外とアポイントが取れるものなのだという気づきを得ます。

スキルアップゲーム③
「ライバル会社スパイグランプリ」

このゲームは、3つ目の壁である「商品のことがよくわからない」という点をクリアするために行います（**図-26**）。

自社商品やその商品をとりまく周辺知識をしっかり勉強していても、それだけではまだ、「商品のことをよくわかっている」と胸をはることはできません。

自社商品のことをよくわかるためには、自社商品を知るだけでなくライバル会社についても把握しておく必要があるのです。

本ゲームにより、ライバル会社と自社商品を比較することで、自社商品についての理解をいっそう深めることを狙います。

《狙いと効用》

自社商品のことをよくわかるためには、ライバル会社についても研究しておく必要があります。

自社商品を知るだけでなく、あわせてライバル会社の商品も把握することで、自社商品とラ

図-26 スキルアップゲーム③

自社商品のことをよくわかろうとするなら、
ライバル会社についても 研究しておく必要がある。
ライバル会社と自社商品を比較することで
自社商品のことがよくわかるようになる。

ライバル会社スパイグランプリ

獲得ポイント表

	A社	B社	C社
パンフレット カタログ ゲット	1ポイント	1ポイント	1ポイント
標準価格表 ゲット	2ポイント	2ポイント	2ポイント
見積書 ゲット	3ポイント	3ポイント	4ポイント
代理店 仕切率ゲット	2ポイント	3ポイント	5ポイント
提案書 ゲット	3ポイント	3ポイント	7ポイント

※上図は、C社の見積書や代理店仕切率、提案書を入手するのが困難な場合の例

<ゲーム手順>

①ライバル会社のパンフレット、価格表、見積書、提案書やチャネル政策についての情報を集める
②ゲットしてきたパンフレット、価格表、提案書などを社内の共有フォルダにアップする
③アップするごとにポイントを付与しポイント総数をレースする
※ポイントは入手難易度に応じて設定する。

イバル会社のマーケットでの位置づけや、自社商品とライバル会社との相対的な強みや弱みを理解し、自社商品のことがよくわかるようになることを狙います。

《ゲームタイプ》

ＯＪＴ型ゲーム

《対象》

すべての営業マンが対象です。

《必要時間・期間》

適時スタートし、いったんスタートしたら、１年程度の期間で行います。競争環境に応じて、ライバル会社を変更して何度も実施します。

《準備》

ゲームに必要な資料などは次のとおりです。

・入手難易度に応じた獲得ポイント表（**図-26**）→参加者数分
・カタログ、価格表、提案書等をアップするための共有フォルダ

《進め方》

・ルールと進め方は以下のとおりです。

①ライバル会社のパンフレット・カタログ、価格表や提案書などを集める

②収集してきたパンフレット、価格表、提案書などを社内の共有フォルダにアップすると
ポイントをもらえる

※ポイントは入手難易度に応じて設定します。

・レースの進捗状況は、順位表を目立つところに貼り出すなどして、見える化しておき、週に1回程度アナウンスし、順位表に点数を記入します。

《留意点》

入手するのがむずかしいものほど獲得ポイントを高く設定しましょう。ホームページなどから簡単に入手できるものは、あらかじめ共有フォルダにアップしておく方がよいでしょう。

また、1年もの長期にわたるレースであるため、上位者と下位者の差が付きすぎてしまう場合があります。そういった際は、レースを盛り上げ、下位者にも最後まで精いっぱい取り組ませるために、一定期間ポイントを倍にするなどし、逆転可能性（ゲームデザイン・12のポイント⑩）を残すことを考えましょう。

《このゲームの学習クエスト》

ライバル会社の視点で自社商品を客観的に見つめ直すことで、自社商品について深く理解し、これまで当たり前だと思って見逃していた機能やスペックもアピールポイントになる可能性があるという気づきを得ます。

【実践事例コラム②】

弁当業E社
～ライバル会社を諜報し、リプレイスと商品改良を実現！～

E社は法人向け仕出し弁当を販売する事業を行っている従業員150名、うち営業マン23名の会社です。

法人向け仕出し弁当市場は、顧客の福利厚生費・会議費の削減により減少傾向にあり、競合他社との競争が激化しています。

E社も顧客側のコスト削減のあおりを受け、創業以来右肩上がりだった売上が3年前から減少傾向になっていました。

E社の社長は、業績不振を打破すべく、朝礼などで「今日も一日がんばろう！」と営業マンに気合をいれていましたが、売上はなかなか上向くことがありません。

悩んだ社長は、主要なスタッフを集めてミーティングを行いました。社長の奥さんのアイディアでキャンディーやスナック菓子を用意するなどフランクな雰囲気づくりに努めたことが功を奏したのか、社長や営業マンは積極的な意見を出し合い、通常の業務中には出てこないような深い議論が行われました。

議論の要点は以下のとおりです。

・社長に言われるとおりがんばろうと思うのだが、何にどのように取り組んだらよいかわからない
・自分でもやろうと思っている時に叱咤激励されると、逆にやる気がなくなることがある
・ライバル会社からリプレイスされているような気がする
・顧客から「おいしかった」と言ってもらえるとてもうれしい
・ライバル会社の納入先で不満を感じている顧客も多いように思う

このミーティングの結果を踏まえて、社長は、コンビニエンスストアの弁当などと戦うよりも、すでに仕出し弁当を利用しているライバル会社の納入先へのリプレイス提案が業績アップには有効だと考えました。自社のお弁当に対する評価は高かったので、勝負すれば勝てると考えたわけです。しかし、その反面、競合から納入先を奪われる事例もあり、まずは敵の動きをつかみ、どこで勝負をするべきかを見極めることにしたのです。

そこで、ライバル会社の納入価格やメニュー、顧客からの弁当の評価を収集してくる活動を奨励することにしました。その際、ミーティングで出た「先回りして叱咤されるとやる気がなくなってしまう」という意見に配慮し、営業マンが自ら進んで取り組む仕掛けとして、この活動をゲーム化しました。

具体的には、収集する情報に応じて以下の点数を営業マンが獲得することにし、営業マンはその合計点数を競う「ライバル会社スパイグランプリ」を開催したのです。

・ライバル会社の納入先　３点
・ライバル会社の納入価格　５点
・ライバル会社のメニュー　２点
・顧客からの弁当の評価　５点

ベテラン営業マンも多いので、ゲーム化など言うと逆にやる気を削ぐかもしれないというE社社長の懸念は杞憂に終わり、E社の営業マンは、自ら進んでスパイ活動に励みました。

それぞれの営業マンの獲得点数と順位は毎日、朝礼で社長直々に発表し、全社員が使うコピー機の前に貼り出すため、営業マンのモチベーションは非常に高まりました。

見込客のオフィスの外に出してある空き箱をチェックしたり、ライバル会社の配送車を尾行してどこに納入しているかを確認するほど、夢中で取り組む営業マンも出てきました。

このようにスパイ活動をしてライバル会社のことを把握したことで、ライバル会社と比較した自社商品の特徴や強み・弱みが明らかになりました。自社商品がライバル会社に負けていると感じた時には、ライバル会社に勝てるメニュー提案をつくって商談に持ち込むことでライバル会社からのリプレイス率を高めました。

さらに、収集した顧客からの弁当の評価を、製造部にフィードバックすることで、商品力強化に結び付けるサイクルが回り始めました。まさにマーケティングとイノベーションの統合です。

営業のゲーム化がきっかけとなり、E社では再び業績が右肩上がりになっています。

スキルアップゲーム④「キーマン・サーチ・ロールプレイングゲーム」

これは、営業マンがぶち当たる4つ目の壁である「キーマンに会えない」という点をクリアするためのゲームです（図-27）。

キーマンとは、意思決定に影響を与える人のことです。営業マンがキーマンに会えない原因の1つに、そもそもキーマンがだれなのかを日頃から意識していないということがあります。

本ゲームにより、キーマンがだれなのかを常に考える習慣を営業マンに身に付けさせることを狙います。

《狙いと効用》

部長がキーマンのこともあれば、ただの担当者がキーマンのこともありますし、社員ではない経営者の奥さんが実はキーマンだったというケースもあります。個人営業では、おじいちゃんや子供がキーマンだったりすることもあります。

商談時には、常にキーマンがだれなのかというアンテナを立てておくことが重要なのです。ところが未熟な営業マンは、多くの場合、商品説明やヒアリングをうまく行うことに気をとられて、キーマンがだれなのかを観察することを忘れてしまいがちです。
本ゲームにより、顧客に会うたびに、キーマンがだれなのかを常に観察する習慣を身に付けることを狙います。

《ゲームタイプ》
Ｏｆｆ−ＪＴ型のゲーム

《対象》
すべての営業マンが対象です。

《必要時間・期間》
このゲームは、１回あたり約25分でできます。
・ゲームの説明⇩５分
・ゲームの実施⇩15分
・結果発表と解説⇩５分

《準備》
４人１組のチーム分けをしておきます。

図-27 スキルアップゲーム④

客先に行ってみたら思いがけず、複数の人が出てきた。役職はさまざま。この中にキーマンがいるはずなのだが、ここで特定できなければ、だれがキーマンなのか一生わからない……

キーマン・サーチ・ロールプレイングゲーム

<ゲーム手順>

●各チームごとに１名営業マン役を決め、残りの３名は顧客役になる
●顧客役の３名は、部長役、課長役、担当者役のいずれの役を演じるかを決める
●顧客役の３名はあみだくじでキーマンを１名決める
●商談ロールプレイングを行う。キーマン役の人はそれとなくサインを出す
●商談ロールプレイング終了時に営業マン役は、キーマンがだれかを答える
●正解すればゲームクリア

《進め方》

・ルールと進め方は次のとおりです。

①司会役は、キーマンとは意思決定に影響を与える人のことで役職に依存しないこと、キーマンを意識することが日頃の商談において非常に重要であることを伝える

②チームごとに1名営業マン役を決め、残りの3名は顧客役になる

③顧客役の3名は、部長役、課長役、担当者役のいずれの役を演じるかを決める

④顧客役の3名はくじでキーマンを1名決める

⑤商談ロールプレイングを行う。商談中、顧客役は、割り当てられた役職を演じるキーマン役の人はそれとなく自分がキーマンであるというサインを出す

⑥商談ロールプレイング終了時に、営業マン役は、キーマンがだれかを答える

⑦正解すればゲームクリア

⑧正解、不正解を問わず、何をどう判断してキーマンだと思ったのか振り返る

・ロールプレイングの商材は自社商材の中で最もメジャーなもので行います。

1回終わるごとに、正解した人から、どのようにキーマンを判別したかを発表してもらいます。

《留意点》

キーマン役になった人は、どのような態度、発言をして、自分がキーマンであるかを営業マン役にわからせるかというヒントを考えます。「私が稟議を上げる時に……」とか「社長からじきじきに指示を受けているので……」などと、会話の中に、さりげなく自分がキーマンであるというヒントを忍ばせましょう。

このヒントを察知して、キーマンはだれかを当てるわけですが、実は、このキーマン役になって、キーマンだったらどんなことを言うか、どういう態度をとるかと考えてみるところにこのゲームのポイントがあります。

演技力も問われるので、途中でバレバレになってしまうこともありますが、その際にも、どういう意図でキーマンを演じたのかを振り返り、気づきを与えていきます。

また、週に1度などのペースで頻繁に本ゲームを行うことにより、本ゲームが習慣化クエスト（ゲームデザイン・12のポイント⑧）となり、だれがキーマンかを考えることが習慣になるようにします。

《このゲームの学習クエスト》

多くの場合商談にはキーマンが存在すること、キーマンは役職や見た目では判断できないこと、キーマンは有形無形のサインを出して自分がキーマンであることを知らせている場合が多いことを学びます。

【実践事例コラム③】

システム開発販売業H社

〜キーマン面談というボトルネックをゲームで解消する〜

在庫管理システムの開発販売を行っているH社は、社員数120名、うち営業マン60名の企業です。H社では、次のような流れで営業を行っています。

①見込客に向けて啓蒙のためのセミナーを実施
②セミナーに来た客を営業マンがフォローしてヒアリング
③ヒアリングに基づいて在庫管理システムの活用方法を提案

H社では、1年ほど前から受注数が減少傾向にあり、この対策として、セミナー開催数を1・5倍に増加させていました。ところが、セミナー開催数を増やしても、思ったほど受注数は増えません。H社では、「Sales Force Assistant」を導入しているため、セミナー参加客へのフォロー漏れはほとんどありません。社内で対策会議を開いた際の意見の大部分は、「もっとセミナー開催数を増やして、見込客を確保しよう」というものでした。

しかし、営業部長のOさんはこの意見に違和感を覚えていました。そこで、Sales Force Assistant のボトルネックサーチ機能（109ページの図-16）を活用し、過去1年間の案件進捗傾向を確認したところ、Oさんはあることに気づきました。キーマンとの面談がボトルネックになっていたのです。受注に至っていない案件では、多くの場合、キーマンではない客先の窓口担当者としか会えていませんでした。

この点を解決することなく、セミナー開催数だけを増加させても、工数がかかる割に受注は増えないと感じたOさんは、開催するセミナーの内容をキーマン向けに変更するとともに、社内で毎週「キーマン・サーチ・ロールプレイングゲーム」を行いました。そして、客先のキーマンとの面談やキーマンへの提案を「ゲーム化」し、営業メンバー全員の動きを変革しました。

H社はこのゲームを「キーマン・ホールド・レース」と名付けました。

具体的には、
・キーマンと面談したら　1点
・キーマンに一次提案を直接説明したら　3点
・キーマンにデモンストレーションをしたら　5点
と得点を決め、その得点数を競うレースを全営業マンで開催しました。

Off-JT型のゲームである毎週の「キーマン・サーチ・ロールプレイングゲーム」によって社内で学びを得ながら、実業務の中で「キーマン・ホールド・レース」を行ったことが功を奏し、H社の営業マンはキーマンに会えるようになり、H社の受注率は大幅に改善を遂げました。

「客先のキーマンに提案する」というボトルネックをクリアしたH社は、現在ではセミナー開催数を増やし、さらに受注数を増加させることを検討しています。

スキルアップゲーム⑤ 「昨日の晩ごはん　的中ゲーム」

次は、営業マンがぶち当たる5つ目の壁である「ヒアリングができない」という点をクリアするためのゲームです（図-28）。

ヒアリングができない原因の1つに、「踏み込んで聞くことができない」という点があります。焦らずに外堀を埋めていけば、聞きにくいこともヒアリングできることを体感し、「踏み込んで聞くことができない」という点をクリアすることを狙います。

《狙いと効用》

相手が、昨日、晩ごはんに何を食べたのかを当てるためにヒアリングします。ただし、ずばり料理名そのものを質問するのは反則です。料理名そのものを質問するのではなく、関連する質問を繰り返してヒントを得ます。

質問から得たヒントから昨日の晩ごはんを推理することで、焦らずに外堀を埋めていけば、聞きにくいこともヒアリングすることができることを体感させます。

このことによって、ヒアリングができない原因の1つである「踏み込んで聞くことができない」という点をクリアするのです。

《ゲームタイプ》

Ｏｆｆ－ＪＴ型のゲーム

《対象》

すべての営業マンが対象です。

《必要時間・期間》

このゲームは、１回あたり約20分でできます。

・ゲームの説明⇩５分

・ゲームの実施⇩10分

・得点結果発表と解説⇩５分

《準備》

６～10名を１チームとしたチーム編成をしておきます。

図-28 スキルアップゲーム⑤

言いにくいこと、聞き出しにくいことも、
外堀を埋めていけばきっとわかる。

<ゲーム手順>

①2人1組になってそれぞれに、昨日の晩ごはんを当てる
②いくつか質問をして、最後に、料理名を言う
③料理そのものの名前を質問するのは禁止。
「ごはんにかけますか？」

「辛い料理ですか？」 などと質問する

《進め方》

・ルールと進め方は以下のとおりです。

①ゲーム参加者は、昨日の晩ごはんを紙に書いて、胸ポケットなどにしまっておき、ゲームを開始する

②1組になった2人は、それぞれに相手の昨日の晩ごはんを当てるべく質問をしていく

③料理名そのものを質問するのは反則

「ごはんにかけますか?」「辛い料理ですか?」などと質問する

④制限時間になったら終了し、料理名を回答し、事前に書いておいた紙と照らし合わせる

⑤正解者に全員で拍手をする

《留意点》

少ない質問数で正解にたどり着いたら、2ポイント加点、短い時間で正解にたどり着いたら、3ポイント加点など習得させたいスキルに応じてゲームに変化をつけるとよいでしょう。

晩ごはんのメニューというプライベートな題材を取り上げるため、業務上は、日頃は会話の少ないペアでもスムーズに会話できるようになります。このソーシャル共有効果(ゲームデザイン・12のポイント⑤)を使い、あまり接点のない人同士をペアにすることも検討しましょう。

《このゲームの学習クエスト》

焦らずに外堀を埋めていくことが重要で、一度、質問への回答を嫌がられたとしても、タイミングや聞き方を変えて再度ヒアリングすれば、意外と答えてくれるものなのだということを学びます。

スキルアップゲーム⑥
「ハッピーボイス・ストーリーテリング」

次は、営業マンがぶち当たる6つ目の壁である「顧客価値提案ができない」という点をクリアするためのゲームです（図-29）。

「この商品は、自信を持ってお奨めできます！」

「このサービスは、業界初となる画期的なサービスです！」

「この商品は、今当社で一番の売れ行きなのです！」

営業マンは、商品を顧客に提案する時、このような言い方をしてしまいがちです。しかし、こうした営業提案は、顧客の心に響かないことが多いのです。

なぜなら、「この商品には、このような価値があります」と、商品そのものの価値しか伝えていないからです。

商品・サービスの長所やメリット、つまり「商品価値」ばかりをアピールしても顧客には受け入れられません。その商品価値は、ある顧客にとっては、価値があるかもしれませんが、目の前の顧客にとっては、まったく価値がないかもしれません。

たとえば、「米を炊いてから2日たっても炊き立てのような味わいをキープできる」という

図-29 スキルアップゲーム⑥

お客様の実体験ほど説得力のあるものはない。
喜びの声を集めて、物語にして伝える。

ハッピーボイス・ストーリーテリング

▼タブレットＰＣ端末を扱っている会社の場合

お客様のタイプ（例）／時間	経営者層	営業部門	システム部門
3分	*************** *************** **************	あるお客様先の営業マンさんは、カタログとか資料とかをたくさん持ち歩く必要がなくなったので、ワンサイズ小さいカバンに代えることができたって喜んでくれています。	*************** *************** **************
5分	*************** *************** *************** **************	*************** *************** *************** **************	私のお手伝いしている企業さんで、営業の方が誤って置き忘れてしまってヒヤっとしたのですが、リモートデータ消去機能があったので事なきを得たんですって。
15分	私のお手伝いしている企業さんでは、営業生産性の向上が大きなテーマだったのですが、社長さんが、タブレット端末を活用することで、客先滞在時間が3％上がったとおっしゃっています。これは単純計算すると……	*************** *************** *************** *************** **************	*************** *************** *************** *************** **************

<ゲーム手順>

① ・商品を使ったことによって恩恵を授かった
・想定外の効果を生んだ
・ハッピーな出来事があった
などのお客様の生の声をどんどん集める

② お客様のタイプ別にデフォルメして短時間で語れるストーリーを書き出す

③ お客様に語りながら話の仕方をブラッシュアップする

業界初の画期的な高性能炊飯器があるとしましょう。

もちろん営業マンとしては、「2日間もおいしくご飯を食べられる」という商品価値をアピールしたいところです。

しかし、「5人家族なので、ご飯は一晩ですべて食べきってしまう」という顧客にとって、保温機能が充実していてもまったく価値がありません。

営業マンは、「商品価値」ではなく、目の前の顧客が抱えているニーズや問題をクリアするような「顧客価値」を提示する必要があるのです。つまり商品そのものの価値ではなく、その顧客が商品を使った時に得られる価値が重要なのです。

5人家族の顧客であれば、従来の炊飯器よりも多くの量のご飯を炊ける炊飯器や、機能は普通でも価格の安い炊飯器を提案した方が、心に響くのです。

本ゲームでは、目の前の見込客と似たようなお客様の使用例や実体験を事例として伝えることで、顧客価値提案ができるようになることを狙います。

《狙いと効用》

お客様の実体験ほど説得力のあるものはありません。お客様の喜びの声を集めましょう。喜びの声は、具体的かつ生々しいものの方が有効です。そして、喜びの声を集めたら、ストーリー性のある物語にしましょう。

物語としてお客様の実事例を伝えた際に、顧客から「うちは（その物語とは）ちょっと事情がちがうけれど、確かに○○という点は、そうかもしれないね」というような言葉が出てくれば、「○○という点が当てはまるなら、□□もありますよね」と目の前のお客様にとって価値のある顧客提案ができるようになるのです。

《ゲームタイプ》

ＯＪＴ型ゲーム

《対象》

すべての営業マンが対象です。

《必要時間・期間》

適時スタートし、いったんスタートしたら、１年程度の期間継続して行います。継続すればするほど、喜びの声に基づいた事例が社内に蓄積されていきます。

《準備》

ゲームに必要な資料は次のとおりです。

・ゲームの得点申告シート（図-24）↓1枚
・参加者の順位表（模造紙大）（図-25）↓1枚
・物語事例をアップする共有フォルダや営業支援システム（SFA）

《進め方》

・ルールと進め方は以下のとおりです。
①「商品を使ったことによって恩恵を授かった」、「想定外の効果を生んだ」、「ハッピーな出来事があった」などのお客様の生の声をどんどん集める
②お客様のタイプ別にデフォルメして短時間で語れるストーリーを書き出す
③実商談でストーリーを話しながらトークをブラッシュアップする
・ルール説明の際には、
　・購買部門に対する3分のストーリーなら3ポイント
　・経営者層に対する15分のストーリーなら5ポイント
など、難易度に応じて得点を決めておきます。
・レースの進捗状況は、順位表を目立つところに貼り出すなどして、見える化しておき、週に1回程度アナウンスし、順位表に点数を記入します。

《留意点》

物語にすると言うと大変なことのように聞こえるかもしれませんが、そんなことはありません。ただ商品の利点を語るのではなく、「だれが、どう商品を利用したら、どうなったのか」と、主人公、アクション、その結果をつなげて語ってほしいのです。

顧客からプラスの声を集めてきて、それを、「私がお手伝いしている会社では、○○○という点でお困りだったのですが、その点を△△で解消できただけでなく、思いもよらず□□にもなったということで、とても喜んでいただいています。しかもそのことによって、購買担当者だったAさんは社長賞を受賞されました」というように、ちょっとしたストーリー仕立てで、事例として顧客に伝えられるようにするだけでよいのです。

また、物語事例をアップするだけでなく、他のメンバーがアップした物語事例を商談時に活用することを促す仕掛けをつくることも有効です。

・アップ済み物語事例を商談の場で活用したら2ポイント

・その感想をアップしたら、さらに2ポイント

などのように、アップ済み事例の活用にもポイントを付与するとよいでしょう。

物語事例を商談の場で活用することは非常に重要です。

未熟な営業マンは、顧客の「欲しい」という言葉にすぐに飛びつき、「キターー！」とばかりに、勇んで商品説明を始めてしまいますが、このケースでは、成約には至りません。営業マンが勇

んで説明しているのがスペックや機能、価格などの商品価値だからです。急《せ》いては事を仕損じます。

そのような時は、「格闘ゲームで必殺技ゲージを溜めている状態を思い浮かべろ」と指導しましょう。

「欲しい」「買いたい」「商品を探しているんだ」という言葉が顧客から出てきたら、すぐに飛びつかずに、必殺技ゲージに溜めておいて、物語事例を用いて、顧客に購入後の活用イメージを膨らませてもらいながら商談を進めさせるようにしましょう。

《このゲームの学習クエスト》

顧客価値を提示するためには、目の前の顧客と対話することが必要で、ある人にとってはまったく価値のないことが、別の人にとってみるととても大きな価値があるということがあり得るということを学びます。

他の営業マンが集めてきた事例を読むことで、こんなに顧客に喜ばれているんだという認識が広まることも大きな学習効果です。

【実践事例コラム④】

美容品卸B社
～未取引サロンの情報収集ゲーム。実情がわかれば提案できる～

B社は、社員数50名、うち営業マン30名のヘアサロン向け美容品ディーラーです。B社は創業以来、顧客である美容サロンに対し親切丁寧に対応することで業容を拡大してきました。しかし、近年は、取引先サロンの不振や廃業などもあり、業績下落傾向が続いていました。

そこで、B社の社長は顧客であるサロンの実情を踏まえた上で、しっかりした顧客価値提案を行っていくことを決意し、営業のゲーム化に取り組みました。B社では手間をかけずに手っ取り早く営業のゲーム化を開始するために「Sales Force Assistant」を導入しました。新規の美容サロンを開拓するには、サロン経営者や店長と面談する必要がありますが、経営者や店長も日中は、来店客に対する施術を行うため、なかなかゆっくり時間をとって面談してもらうことができません。

そこで、社長は、

「面談できなくてもかまわないから、客層・客単価・鏡枚数・自動シャンプー機の有無などの情報を調査してくるように」

と営業マンに指示しました。

面談できなくても、サロンの中を見渡せば確認できる情報を収集し、収集した情報は、「Sales Force Assistant」に登録しておきます。

そして、収集した情報の量（諜報活動の成果）をダービーレースにして競うことにしたのです。

ダービーレースは1か月単位で勝者を決めることとし、1位の人は社長のポケットマネーで焼肉をおごってもらえます。それが功を奏したのでしょうか、サロン情報を収集するダービーレースは大いに盛り上がりました。

レース開始2か月目には、少しでも多くサロンに訪問した方がレースに勝利しやすくなることに気づいたYさんが、「Sales Force Assistant」のマッピングアシスト機能（**図-30**）を使って、地図上にプロットされた近隣の美容院の場所をあらかじめ確認した上で効率的に訪問するという裏ワザを発見し、ダントツの1位になりました。

余談ですが、Yさんはマッピングアシストによる周辺顧客サーチは、まるでロールプレイングゲームの魔法の呪文のようだと言っています。この裏ワザは表彰式の際に、

図-30 B社のゲームを活性化させた秘密兵器：マッピングアシスト

マップ
ビューティーサロン　ドリームヘア（ご愛顧客）
東京都品川区東五反田X-XX-XX
最新訪問日：20XX/07/11
当社担当者：清永 健一
案件情報：なし
競合アラート：なし
東五反田2
山手通り
317
著作権情報
プロットされる顧客情報は顧客ランクと案件の有無、最新訪問日によって色分けされます。
ピンをタップすると、顧客情報の吹き出しが表示されます。最新訪問日から指定日数以上過ぎている顧客情報には警告表示されますので、放置顧客撲滅のためにも有効です。

Yさんは、自分が今いる場所の周辺サロンを
電子秘書に地図上に表示してもらい訪問件数を増やしました。

Yさんから全員に発表されました。

この結果、B社にはサロンの情報が蓄積されていきました。現在、B社では、客層や客単価、鏡枚数、自動シャンプー機の有無などを**図-29**の横軸：お客様のタイプとして、B社が販売した商品やB社のサービスによる喜びの声を物語にするゲーム「ハッピーボイス・ストーリーテリング」に取り組んでいます。

ゲームを開始しすでに10か月が経過し、B社には多くの「ハッピーボイス」が蓄積されてきています。

B社では、「30歳台の女性をメイン客層とする高価格帯の鏡枚数10枚以下の自動シャンプー台のないサロンでは、その効能をお伝えしながら、高級ノンシリコンシャンプーで洗髪して差し上げた後に、会計時にレジでその高級ノンシリコンシャンプーの物品購入をお勧めするとかなりの高確率でお買い上げいただける上、次回来店時にも継続購入してくれる。店販比率が高まり利益率が向上したこともうれしいけれど、何よりもお客さんがそのシャンプーをとっても気に入ってくれていることがうれしい、と店長が言っていた」というような物語事例を活用することで、顧客価値提案を加速しています。

スキルアップゲーム⑦「宿題出したり出されたりゲーム」

営業マンがぶち当たる7つ目の壁である「次につながらない」という点をクリアするためのゲームです（**図-31**）。

7つ目の壁が「クロージングできない」でないことに違和感を覚えた方がいるかもしれません。しかし、無理にクロージングしようとすると、多くの場合、値引きやただ働きという代償を払うことになってしまいますし、強引なクロージングは顧客の反感を買う危険性もあります。クロージングをせずに自然とお買い上げいただくのがベストなのです。そのためには、商談の流れをつくることを意識し、次につなげていくことが大切です。

本ゲームでは、商談を次につなげていくために、「宿題をもらって帰ってくる」という営業の基本を身に付けると同時に、顧客に出した宿題を次回までに仕上げておいてもらえるような、顧客と対等な関係を築くことを狙います。

《狙いと効用》

宿題をもらって帰ることは営業の基本です。本ゲームでは、宿題をもらって帰る癖をつけることはもちろん、さらに、一歩進めて、顧客に、次回までに宿題を仕上げておいてもらうことにもチャレンジすることで、未熟な営業マンにありがちな商談の流れを考えず、言いたいことだけ言ってしまうようなことをなくし、「次につながらない」という壁を乗り越えることを狙います。

《ゲームタイプ》

ＯＪＴ型ゲーム

《対象》

すべての営業マンが対象です。

《必要時間・期間》

適時スタートし、いったんスタートしたら、１年間程度の長期間にわたって行います。

《準備》

ゲームに必要な資料や事務用品は次のとおりです。

・以下の３つの項目の件数をカウントできるような得点申告シート（**図-32**）↓参加者数分

図-31 スキルアップゲーム⑦

宿題をもらって帰るのが営業の基本。

さらに、一歩進めて、顧客に、次回までに宿題を仕上げておいてもらうことも考えよう。

宿題出したり出されたりゲーム

<ルール>

獲得ポイントでレースをします

- ●顧客から宿題を出してもらえたら１ポイント獲得
- ●顧客に宿題を出して、顧客がその宿題を「やるよ」と言ったら２ポイント獲得
- ●次回訪問した際に、顧客が実際に宿題をやってくれていたら、３ポイント獲得

①「宿題をもらった」
②「宿題を出した」
③「出した宿題をやってくれていた」

・参加者の順位表（模造紙大）（図-25）↓1枚

《進め方》

・ルールと進め方は以下のとおりです。

①このゲームは実商談を利用して行う

②顧客から宿題を出してもらえたら1ポイント獲得、営業マンが顧客に宿題を出して、顧客がその宿題を「やるよ」と言ったら2ポイント獲得、次回訪問した際に、顧客が実際に宿題をやってくれていたら、3ポイント獲得とする

③参加者はポイントを獲得したら、その旨を得点申告シートに記入し提出する

④獲得ポイントでレースをする

・レースの進捗状況は、順位表を目立つところに貼り出すなどして、見える化しておき、週に1回程度アナウンスし、順位表に点数を記入します。

図-32 宿題出したり出されたりゲームの得点申告シート(例)

得点申告シート

ゲーム名: 宿題出したり出されたりゲーム

日付: 2014年2月12日

名前: 清永 健一

・宿題をもらった	3	件	×	1	=	3
・宿題を出した	1	件	×	2	=	2
・出した宿題をやってくれていた	2	件	×	3	=	6

本日の得点 11

《留意点》

顧客に宿題を出すといっても、大げさなことを要求する必要はありません。

たとえば、「次回お伺いする時までに印鑑証明を用意しておいてください」と言ったり、「私は○○の資料を作成しますので、お客さんは□□についての懸念点を洗い出しておいてもらえますか」と言ったりするようなことが宿題を出すことにあたります。

顧客は、自分よりも下のレベルだと思う営業マンから提案されるよりも、この営業マンはなかなか詳しいなぁと一目置いている営業マンから提案されたいものです。商談の流れを考えリードし次につなげる力を付けると同時に、営業マンから宿題を出し、その宿題を次回までにやっておいてもらうことで、顧客と対等な関係を築くことも狙いましょう。

《このゲームの学習クエスト》

どういう宿題をもらうか、どのような宿題を出すか、宿題を出した時、相手がどういう反応をするだろうかと、訪問前に商談をイメージしておくことができれば、宿題をもらいやすいことを学び、宿題をもらうことで、商談が次につながるということを学びます。

PART 4

他者協力意識を醸成する「チームワークゲーム」

ここからは、営業のゲーム化3つ目のゲーム「チームワークゲーム」について考えていきます。真の営業マンは、マーケティングとイノベーションを統合し、リードする存在であり、一匹狼の「売ればいいんだろ」という孤高の存在ではいけません。自分ひとりだけがスキルアップしても不十分なのです。

営業部門内で他の営業マンとライバル関係を超えて協力し合い、営業アシスタントの支援を上手に受けることはもちろん、設計部門、開発部門、製造部門、仕入部門、経理部門、コールセンターなどの非営業部門とも協力し連携することが不可欠です。

このような他者と協力し合うことは、単に「みんなで協力し合いなさい」と指示するだけでは頭では理解してもなかなか実行できないものです。そこでゲームの力を使い、チームワークゲームの学習クエストによって他者協力意識を醸成するのです。

チームワークゲーム①「ポジティブストローク・ゲーム」

「一匹狼的な営業マンが多く、社内の雰囲気がギスギスしている」「業務上必要なこと以外は会話がない」というような状態では、他者協力のためのチームワークを高めていくことはできません。まず、他者協力を醸成するムードづくりが必要なのです。そんな時は、「ポジティブストローク・ゲーム」を行いましょう（図―33）。

《狙いと効用》

ストロークとは、相手の価値や存在を認める働きかけのことで、心理学の用語です。ポジティブストロークとはストロークの一種で、相手の良い面・長所・得意なこと・強みに焦点を当てたものです。

お世辞とわかっていても、人に認められて悪い気はしません。人はだれしも、人に認められたい、大切にされたいものであり、自己重要感（自分は組織に必要とされている、自分にはここにいる価値があるという実感）を得たいと思っているのです。

そこで、本ゲームを行うことで、メンバーの自己重要感を高め、協力し合うムードをつくる

図-33 チームワークゲーム①
他者に協力しやすいムードづくり

「一匹狼的な営業マンが多く、社内の雰囲気がギスギスしている」
「業務上必要なこと以外は会話がない」
そんな時は……

朝礼等で、**ポジティブストローク・ゲーム** を行う。

<ゲーム手順>

①2人1組になる
②カード1枚に1つずつペアの人の良い点や長所を
「○○なところが素晴らしい」
「○○○が素敵」
という書き方で記入する
③1人に対してカード3枚記入する
④1つずつ読み上げながらペアに渡していく
⑤新しいペアをつくって繰り返し。3セットほど行なう

自己重要感を満たすことで他者と協力しやすいムードをつくります。

ことを狙います。

《ゲームタイプ》

Ｏｆｆ－ＪＴ型のゲーム

《対象》

営業部だけでもできますが、可能であれば開発部門、仕入部門、製造部門などの非営業部門のメンバーにも参加してもらいます。人数は何人でもかまいませんが、奇数人数で２人１組になれない組ができる場合は、３人１組をつくります。

《必要時間・期間》

このゲームは、１回あたり約25分でできます。営業部内だけで行うような場合には、朝礼時に少し短めに時間をとってもいいでしょう。

・ゲームの説明⇩５分
・ゲームの実施⇩15分
・解説⇩５分

《準備》
①ゲームに必要な資料や事務用品は次のとおりです。
・名刺大のカード↓参加者数×10枚程度
②2人1組のチームを編成します（3人1組も可）。

《進め方》
・ルールと進め方は以下のとおりです。
①2人1組になる
②カード1枚に1つずつペアの人の良い点や長所を「○○なところが素晴らしい」「○○○が素敵」という書き方で記入する
③1人に対してカード3枚記入する
④1つずつ読み上げながらペアに渡していく
⑤新しいペアをつくって繰り返し。3セットほど行う

《留意点》
なかなかカードに相手の長所を書けない人がいる場合があります。
司会役は、「今日のネクタイがカッコいい」とか「髪型がきまっている」などパッと目に入

る見た目を長所として記入したり、「3か月前に○○していたのが素晴らしい」などその人について知っていることを挙げて褒めるだけでもよいことを伝えて、カードに記入する際のハードルを下げましょう。

また、カードを渡す際、照れてしまって渡せない人がいるケースがあります。その際は、表彰状を渡す係に任命されたと思って、なり切ってハキハキと読み上げるように伝えます。

《このゲームの学習クエスト》

ゲーム前とゲーム後の自分自身の心の変化を実感し、ポジティブストロークで満たされれば、人に対してポジティブストロークを発しやすくなるということ、ポジティブストロークで満たされた人同士はお互いに協力し合うことが容易になることを学びます。

チームワークゲーム②
「他部門インタビューBINGO！」

真の営業マンは、開発部門、仕入部門、製造部門、購買部門、メンテナンス部門、コールセンターなどの非営業部門と相互信頼を構築している必要があります。関係各部署との相互信頼を構築するために「他部門インタビューBINGO！」を行います（図-34）。

《狙いと効用》

自社の開発部門、仕入部門、製造部門、購買部門、メンテナンス部門、コールセンター、総務部門、経理部門などの関係各部署で働く人と直接面談し、①これまで一番達成感があったこと、②これまで最も苦労したことをインタビューします。

非営業部門の人たちが日々どのように仕事をしているかを肌で感じることで、関係各部署との信頼関係を構築することを狙います。

《ゲームタイプ》

ＯＪＴ型ゲーム

図-34 チームワークゲーム②
非営業部門との信頼関係醸成

開発部門、仕入部門、製造部門などの非営業部門をリードするのが真の営業マン。
真の営業マンは、非営業部門と相互信頼を醸成している必要がある。

他部門インタビューBINGO!

インタビュー日：○月○日
インタビュアー：清永健一

◆インタビューを受けてくれた方：

お名前：山田　太郎さん
部　署：生産管理部
勤続年数：8年目
役　職：主任

◇これまでで一番達成感があったこと

◇これまでで最も苦労したこと

＜ビンゴ手順＞

①対象となる部署の人に会いに行く
②関係各部署の人にこれまでで一番達成感があったこと、最も苦労したことをインタビューする。
③インタビューした内容は簡単にまとめて提出する
④まとめた内容を提出したら、ビンゴカードの該当部署のマスを開けていく

《対象》
すべての営業マンが対象です。
《必要時間・期間》
適時スタートし、いったんスタートしたら、３か月間で行います。
《準備》
①対象となる部署を選定します。
営業マンが日頃仕事をする際によく協力要請をする部署を優先的に選びます。
②ゲームに必要な資料などは次のとおりです。
・部署とマスを対応させたビンゴカード↓参加者数分
③対象となる部署には事前に協力依頼をしておきます。
《進め方》
・ルールと進め方は以下のとおりです。
①対象となる部署の人に会いに行く
②関係各部署の人にこれまでで一番達成感があったこと、最も苦労したことをインタ

ビューする
③インタビューした内容は簡単にまとめて提出する
④部署とビンゴのマスを対応させて、インタビューが終わり、まとめた内容を提出したら、ビンゴカードの該当部署のマスを開けていく
・ビンゴの進捗状況は、適宜、参加者にアナウンスします。
・3か月間で、ビンゴのマスがすべて開くことを目指します。

《留意点》

関係各部門へのインタビューは、必ずしも部門長、部長などの上位職の人だけに限る必要はありません。できるだけいろいろな立場の人の達成感のあった話、苦労した話をインタビューした方が、非営業部門の仕事内容の実態がわかり、信頼関係を醸成しやすくなります。

インタビューを受ける非営業部門の人は、自発的参加（ゲームデザイン・12のポイント⑥）を募るのもよいでしょう。

また、共有フォルダにアップしたインタビュー内容は、ゲーム終了後、小冊子にして社員に配布し、インタビューした人、された人で醸成された信頼関係を全社的なものに波及させていきます。小冊子に記載する際は、インタビューを受けた人は匿名、インタビュアーである営業マンは記名とするとよいでしょう。

《このゲームの学習クエスト》

営業部門に達成の醍醐味や苦労があるのと同様に、非営業部門にも達成の醍醐味や苦労があること、非営業部門も営業部門と同様に顧客に喜んでもらうために活動していることを学び、他部門のメンバーとの相互理解や相互信頼を促進します。

非営業部門とは利害衝突や意見の食い違いがあることも多いですが、それはそれぞれの部署が一生懸命仕事に取り組んでいるからこそであって、時には相手の立場に立って考えてみることも重要であると学べるとよいでしょう。

チームワークゲーム③「チーム対抗ダービーレース」

できる営業マンはさまざまなノウハウを持っていますが、その一方で、できる営業マンほど他の営業マンに対して強烈なライバル意識を持っていることが多いものです。

営業マン1人ひとりのライバル意識が強すぎて、ノウハウ共有が進まないような場合は、競争心の強さを逆手にとって、「チーム対抗ダービーレース」を開催しましょう（図-35）。

《狙いと効用》

ライバル意識が強いことは、本来よいことですが、そのためにノウハウ共有が進まなくなっているとすると対策が必要です。提案書提出数やキーマン面談数などの件数のチーム合計数を競争項目としてチーム間で競うチーム対抗ダービーレースを行いましょう。

チームメンバー同士で協力し合いながら取り組む方が勝利に近づきますので、自然とノウハウ共有が進みます。

本ゲームを通して社内のライバル社員同士が協力しながら営業活動を進めていけるようになることを狙います。

図-35 チームワークゲーム③ 一匹狼たちのノウハウ共有

営業マン１人ひとりがライバル意識が強すぎて、ノウハウ共有が進まない時は、提案書を作成するための秘訣が隠されているであろう「提案書提出数」や、キーマンに商談の場に参加してもらうためのコツがあると思われる「キーマン面談数」など、秘訣やコツが必要になるようなものの量を競うダービーレースを開催する。

チーム対抗ダービーレース

- チームは、１課、２課などの組織図上の部署でも任意に編成したグループでも可
- 相手チームに対するライバル意識を強く持たせることでチーム内での協力し合う体制ができ、ノウハウ共有が進む

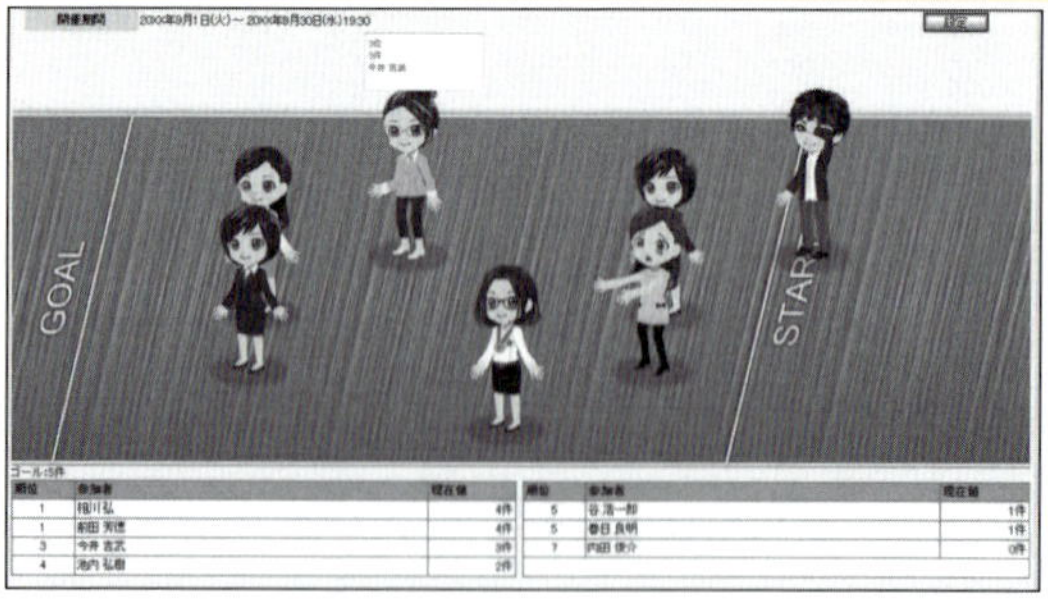

競争心の強さを逆手にとって、協力し合わなければ勝てないゲームをつくる。

《ゲームタイプ》

ＯＪＴ型ゲーム

《対象》

すべての営業マンが対象です。

《必要時間・期間》

適時スタートし、いったんスタートしたら3か月間継続して行います。

《準備》

①どのような競争項目を得点とするレースにするかを決めます。

たとえば、提案書提出数やキーマン面談数などを競争項目とするとよいでしょう。

②3～5人程度のチームを編成します。

③ゲームに必要な資料や事務用品は次のとおりです。

・ゲームの得点申告シート（図-24）→参加者数

・参加者の順位表（模造紙大）（図-25）→1枚

《進め方》

・何を競争項目とするゲームなのかなどのルールを説明し、取り組みを開始します。

・レースの進捗状況は、順位表を目立つところに貼り出すなどして、見える化しておき、週に1回程度アナウンスし、順位表に点数を記入します。

《留意点》

営業部門のチームメンバー間のノウハウ共有を狙いとしたゲームです。提案書を作成するための秘訣が隠されているであろう提案書提出数や、キーマンに商談の場に参加してもらうためのコツがあると思われるキーマン面談数など、秘訣やコツといったノウハウが必要になる項目を、レースの競争項目にするようにし、ソーシャル共有（ゲームデザイン・12のポイント⑤）が促進されるように工夫します。

また、普段会話がない人同士、ライバルとして意識し合っている人同士、拠点が違う人同士など、チーム編成を工夫してください。

《このゲームの学習クエスト》

ノウハウは隠すよりもオープンにし、どんどん他の人と共有する方が、逆に自分に他の人のノウハウが集まってくるということを学びます。

チームワークゲーム④「ミッションBINGO!ゲーム」

営業部門、開発部門、仕入部門、製造部門、物流部門や営業事務部門間のコミュニケーションが今ひとつ円滑でないケースや、もっと率直に言うと、仲が悪いケースが多々あります。

また、感情的なシコリがなくても、自部門の業務が多忙すぎて他部門に興味を持てないという「業務のタコツボ化」状態になっている場合も数多くあります。セクショナリズムの壁を越えて、顧客対応をしていくことは、マーケティングとイノベーションを統合しリードする真の営業マンにとって必須です。部門間の壁を乗り越えるのに効果的なのが「ミッションBINGO!ゲーム」です（図-36）。

《狙いと効用》

開発部門、仕入部門、製造部門、物流部門、営業部門は本来、顧客満足というゴールを目指す1つのチームであるはずですが、それぞれ業務が異なっているため、ややもすると他部門に興味を持たず、自部門の効率化を目的としてしまい、全体としての効率を損ねてしまうことがあります。

本ゲームでは、ビンゴ上で、疑似的なチームを組むことによって部門間の壁を越えて各部門が一体となって顧客対応を行う意識を醸成することを狙います。

《ゲームタイプ》

ＯＪＴ型ゲーム

《対象》

営業部門だけでなく開発部門、仕入部門、製造部門、物流部門、営業事務部門、総務部門、経理部門、サービス部門、コールセンターなどの非営業部門のメンバーにも参加してもらい、チーム編成を行います。

全従業員が50名程度までであれば、全社員で取り組んでもいいでしょう。それ以上の人数であれば、各部署のコアメンバーを中心に選抜してチーム編成します。ビンゴの進捗状況は全社に見える化して、共有しましょう。

《必要時間・期間》

適宜スタートし、いったんスタートしたら3か月間継続して行います。

図-36 チームワークゲーム④ タコツボ化の打破

営業部門、開発部門、仕入部門、製造部門、物流部門や営業事務部門など１人ひとりのミッションが異なっていて、他人に興味がなく一体感が出にくい時には……

ミッション BINGO！ゲーム

各々のミッションを１マスとしたビンゴゲームを行う。

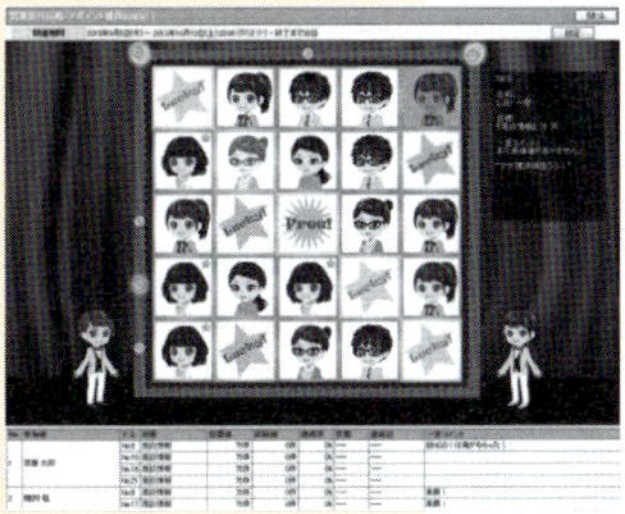

●たとえば、
営業部門の人は提案書提出件数、
開発部門の人は企画件数、
仕入部門の人は仕入品勉強会件数、
製造部門の人は歩留り率、
物流部門の人は
配送クレーム削減件数、
営業事務部門の人は見積代理作成件数などの目標値を決めてビンゴの１マスにする。

●目標値をクリアしたらマスが開く。列のマスがすべて開いたらビンゴ！

●どの列がビンゴになるかを応援できるようにもする。

みんなで一丸となってビンゴを目指す協力体制が生まれる。

《準備》

①参加者は、自分が日々行うアクションとそのアクションの月あたり目標実施数を決めます。たとえば、営業部門の人は提案書提出件数、開発部門の人は企画件数、仕入部門の人は仕入品勉強会件数、製造部門の人は歩留り率、物流部門の人は配送クレーム削減件数、営業事務部門の人は見積代理作成件数などをアクションとしてその目標実施数を決めるとよいでしょう。

②ゲームに必要な資料や事務用品は次のとおりです。

・個人アクション達成進捗記入用紙（**図-37**↓参加者数）

・**図-38**のように、全参加者がそれぞれ1マスを担当し、チームメンバーが一列に並んだビンゴ用紙（模造紙大）↓1枚

《進め方》

・ルールと進め方は以下のとおりです。

①自分の目標値をクリアしたらビンゴの中の自分の担当するマスを開ける

②列や行として並んでいるマスがすべて開いたらビンゴ！

進捗状況は、ビンゴを目立つところに貼り出すなどして、見える化しておき、週に1回程度、朝礼などでビンゴのマスを開けていく

図-37 「ミッション BINGO! ゲーム」の個人アクション達成進捗記入用紙の例

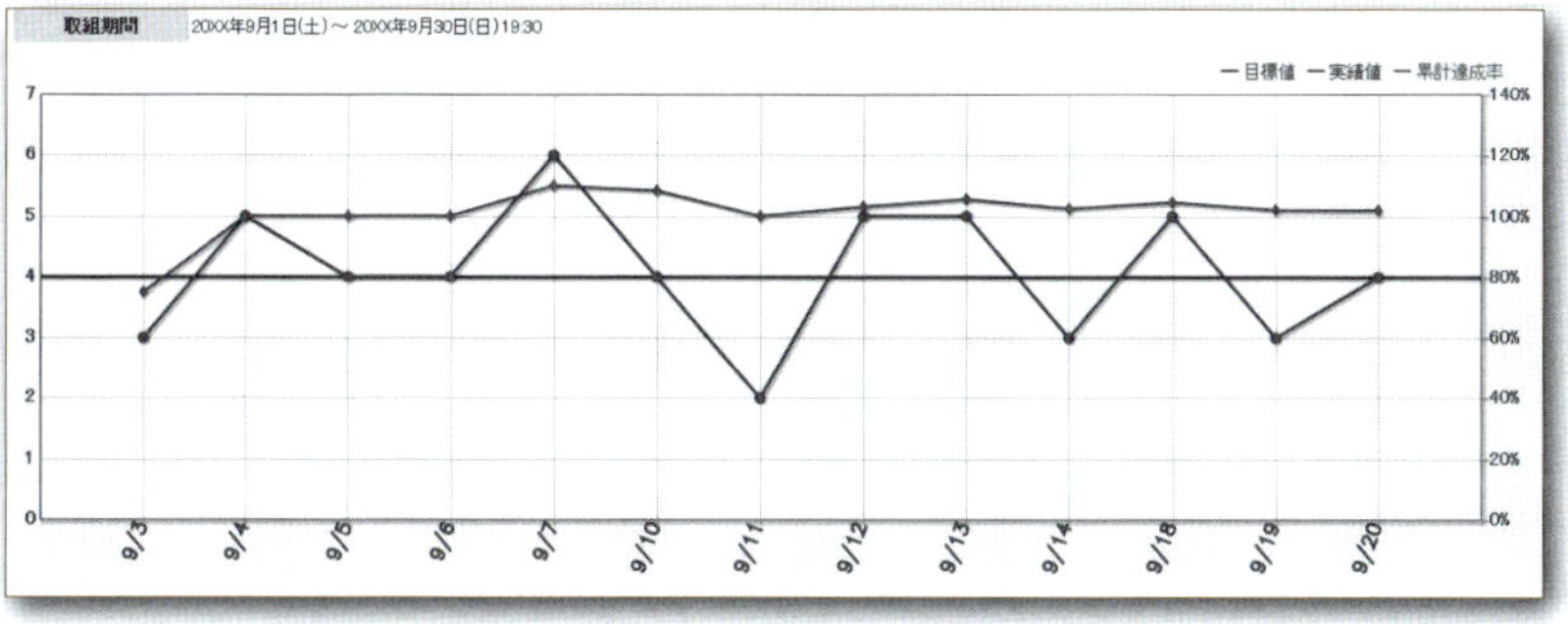

③定期的に作戦会合を開き、チーム内のコミュニケーションを促進させる

《留意点》

だれがどのマスを担当するかは、組織図に応じて決めてもよいですし、シャッフルして任意に決めてもかまいません。また、どの列がビンゴになるかをゲームに参加していない人が応援できるようにするとよいでしょう。

《このゲームの学習クエスト》

従事している仕事が異なっていても、すべての仕事はつながっていて、自分たちは顧客満足というゴールを目指すチームなのだということを学びます。

図-38 「ミッション BINGO! ゲーム」のビンゴの例

【実践事例コラム⑤】

販売管理システム開発・販売　C社

～「分業BINGO!」で新人たちが見違えるほどたくましくなった～

C社には営業マンが16名いますが、ベテラン3名を除き、全員入社2年以内の若手社員です。

C社では新卒や第二新卒を中心に積極的に採用活動を行っており、毎年5名程度の若手人材を新規採用しているのですが、なかなか定着せず、入社1年を経過した時に1名残っていればまだましという厳しい状況に陥っていました。C社では新人の定着、戦力化が経営課題となっていたのです。

C社の社長は、なぜ新人が定着しないのかを考えた結果、ある結論に達しました。

C社の若手社員は、もともとはやる気があるのですが、必死で業務に取り組んでもなかなか成果が上がらないため、自信を失い、心が折れて退職してしまうのです。

確かに、多岐にわたるC社の業務を、ニーズ発掘から訪問営業、クロージング、導入・立ち上げ支援まですべてを1人で実行するのは、新人には難易度が高いと言えます。そこで、C社では、業務を、セミナー集客、ヒアリング、提案、活用支援に分解し、それぞれの業務に専念させる分業体制を敷きました。

分業することで、業務の流れが分断されて、顧客対応力が下がってしまうことを危惧したC社社長は、分業しても一体感を持ったチームとして顧客対応を行うことができるように、ビンゴゲームを開催することにしました。C社の「分業BINGO!ゲーム」は、営業部門内の仕事のみを対象にしているという点で、非営業部門も巻き込み部門横断的に行う「ミッションBINGO!ゲーム」とは異なりますが、本質的には同じものです。

1つの業務に専念できるようになった新人たち13名は、自分が担当する業務をきちんとこなせるようになりました。ビンゴゲームによって分業しつつも自分の仕事がどのように貢献しているかを把握できるようになっていたこともあり、新人人材は、徐々に自信を取り戻していきました。

今では、自分が担当する業務以外にも取り組みたいので職務拡大してほしい、と自ら申し出る社員も出てくるなど、見違えるほどたくましくなっています。

C社が行ったビンゴゲームは、**図**-39のようなものです。

アポイントを獲得するという業務を行う人は、月あたりのアポイント獲得目標数をクリアすればビンゴのマスが開きます。

クロージングを行う業務を担当する人は、月あたりの成約目標数をクリアすればビンゴのマスが開きます。

訪問営業や立ち上げ支援を専任で行う人も同様に、ビンゴのマスを担当し、自分の担当業務に応じた目標数をクリアするとマスが開きます。自分の担当するマスが開くだけではビンゴにならず、上流工程や下流工程の人の進捗が自然と気になってきます。その結果、C社では、自分の担当業務だけこなせていればそれでよいと考える人はいなくなり、チームとしての顧客対応ができるようになっています。

また、C社が行った「分業BINGO!ゲーム」では、**図**-40のように、どのラインがいち早くビンゴするかを、役員や非営業部門が応援できるようにもしました。役員や非営業部門の人も自分が応援しエールを送っているラインに入っている人の業務が気になります。目標に対して順調に進捗しているとうれしくなって褒めますし、進捗が滞っていると叱咤激励します。

このようにして、C社では、新人の育成と同時に、非営業部門も巻き込んだ全社顧客対応体制を築きあげたのです。

図-39 C社の「分業BINGO! ゲーム」

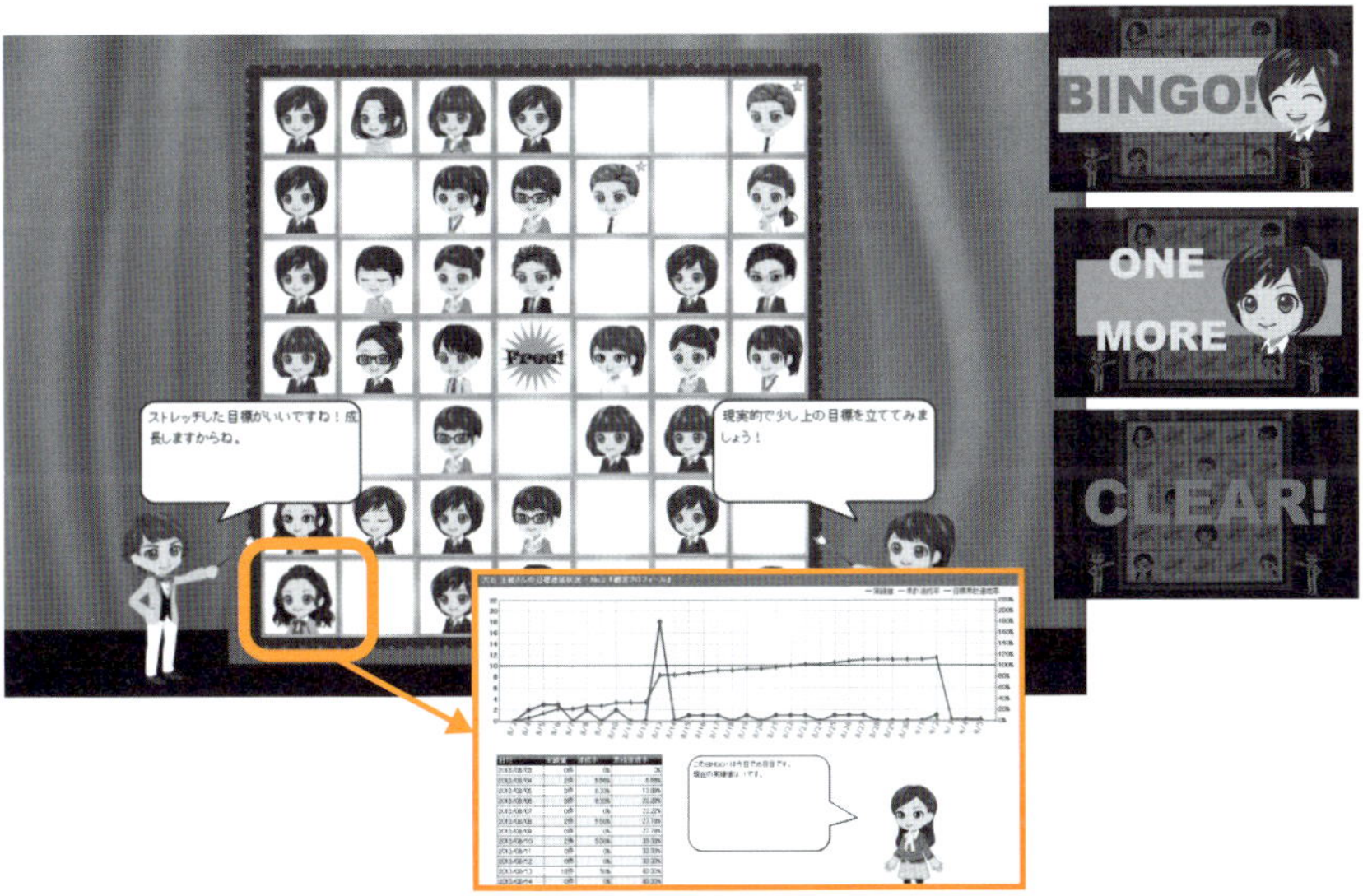

マスをクリックしてクリアすべき目標と現状のギャップを確認します。

図-40 ビンゴを応援する

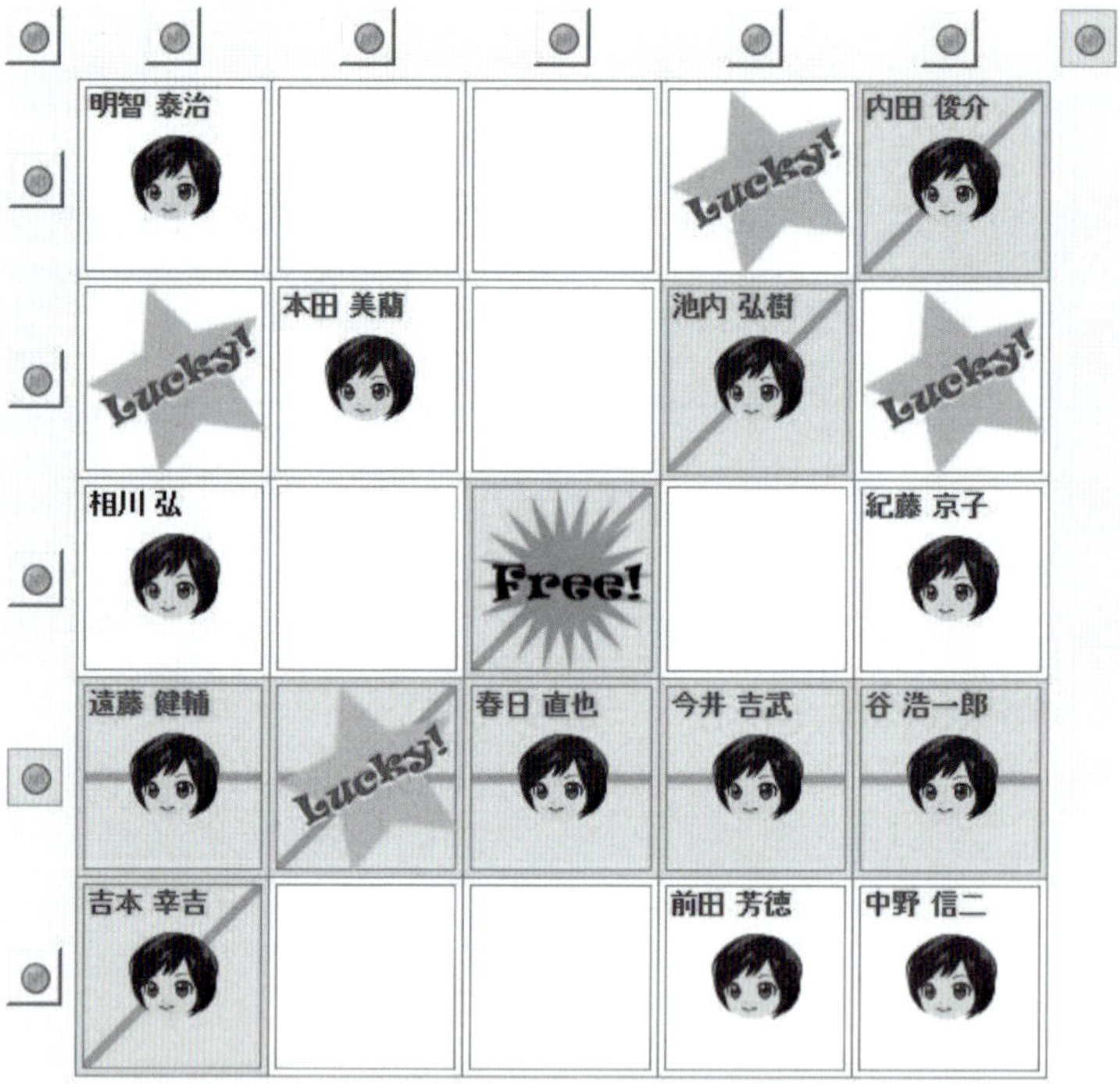

どのラインがいち早くビンゴするかを、
役員や非営業部門が応援できるようにしました。

チームワークゲーム⑤「聞き上手・伝え上手養成　伝言ゲーム」

営業マンは日々、顧客と接しています。顧客のニーズや抱えている悩み、課題を聞いていますし、競合他社の動きを掴んでくることもあります。

真の営業マンとして、マーケティングとイノベーションを統合しリードするためには、こうしたマーケットの情報を社内に正しく伝えることが非常に重要です。

本ゲームを行うことで、チームで仕事をするためにはコミュニケーション力が必要であり、伝えているつもりでもうまく伝わっていないことも多いということを学びます（図-41）。

《狙いと効用》

顧客からの要望などのマーケットの情報を正しく社内に伝えるためには、1人ひとりが、自分が重要な役割を担っているということを自覚した上で、後工程の人の立場に立ってものごとを進めていくことが重要であるということを実感することを狙います。

《ゲームタイプ》

Ｏｆｆ－ＪＴ型のゲーム

《対象》

営業マンだけでなく開発部門、仕入部門、製造部門などの非営業部門のメンバーにも参加してもらいます。６〜10名のチームで行い、６名以上なら何名でもかまいません。

《必要時間・期間》

このゲームは、１回あたり約20分でできます。

・ゲームの説明⇩５分

・ゲームの実施⇩10分

・結果発表と再現⇩５分

《準備》

ゲームに必要な資料は次のとおりです。

・伝言のお題↓1枚

お題は、たとえば、

図-41 チームワークゲーム⑤ 自分の役割への自覚と後工程への配慮

マーケット情報を正しく誤りなく社内に伝えるためには、チームワークが重要。

聞き上手・伝え上手養成　伝言ゲーム

お題（例）

「山田本部長は価格を重視しています。
しかし、田中副部長は品質を気にする人です。
価格と品質を同時に言われるのはきついけれど、
協力してクリアしていこう」

＜ゲーム手順＞

①ゲームを行うメンバーで一列に並ぶ
②一番はじめの人に、お題をそっと教える
③他の人に聞こえないように次の人にお題を正確に伝える
④最後の人まで続ける
⑤最後の人がお題と同じ内容を正確に言えたらゲームクリア！

「山田本部長は価格を重視しています。しかし、田中副部長は品質を気にする人です。価格と品質を同時に言われるのはきついけれど、協力してクリアしていこう」

というようなものです。

お題は事前に用意しておきます。部門間の連携をイメージさせるような内容がよいでしょう。

・6～10名を1チームとしたチーム編成をしておきます。その際、チームメンバーの所属部門ができるだけ多岐にわたるようにします。

《進め方》

・ルールと進め方は以下のとおりです。

①ゲームを行うメンバーで一列に並ぶ

②一番はじめの人に、お題をそっと教える

③他の人に聞こえないように次の人にお題を正確に伝える

④最後の人まで続ける

⑤最後の人がお題と同じ内容を正確に言えたら正解！

・不正解となった場合は（多くの場合不正解になります）、先頭から順番にどのように伝えたかを再現し、些細なニュアンスの違いが大きな誤解を生むこと、伝えているつもりが、なかなか正しく伝わらないこと、などを振り返り、日頃のコミュニケーションのあり方を考えてもらいます。

《留意点》

メンバーのレベルに応じて、お題の長さや内容を調整するとよいでしょう。

また、基本的にお題は事前に用意しておきますが、一番はじめの人が決められるようにし、セルフカスタマイズ（自己決定）性（ゲームデザイン・12のポイント⑦）を刺激するのもよいでしょう。

《このゲームの学習クエスト》

マーケット情報を誤りなく社内に伝えるために、自分の役割が非常に重要であること、後工程に配慮しなければ正しくマーケット情報を伝えることができないことを学びます。

「もうひとがんばり」のための仕掛けづくり

ワンランク上の称号を目指すコレクション効果でもうひと踏ん張りさせる

ここまで、スキルアップゲームやチームワークゲームを見てきました。

どのゲームにも学習クエストが盛り込まれていますが、せっかくの学習クエストもゲームを途中で投げ出してしまっては学びを得ることはできません。そこで、ゲームをなかなかクリアできなくても途中で投げ出さず、あとひと踏ん張り、もうひとがんばりを促すような仕掛けをつくることがとても重要になります。営業マンのもうひとがんばりを引き出すために、バッジ効果（ゲームデザイン・12のポイント③）やコレクション効果（ゲームデザイン・12のポイント④）を活用することを考えてみましょう。

図-42のように、セールスエグゼクティブ、セールスマスター、セールスエキスパート、セールスリーダー、セールスアソシエイトというように称号を決めて、あと1つゲームをクリアすればワンランク上の称号をもらえるというように考えさせるのです。

図-42 付与する称号の例

もらえるとうれしくなる称号にするために
ネーミングにも配慮する。

称号は、ゲームクリア数だけで決めるのもよいですが、たとえば、「セールスエキスパート以上になるには、一定レベル以上の部下指導力が必要となる」というように特約条件をつけてもよいでしょう。職能要件書がある企業であれば、職能要件と連動させると効果的です。

称号の扱いにも注意が必要です。せっかく称号をつくっても、その扱いをぞんざいにしてしまうと称号の価値が下がってしまい、称号を獲得しようという意欲が湧いてこなくなってしまいます。ここでは、バッジ効果（ゲームデザイン・12のポイント③）を活用しましょう。

称号は、大切なものとして厳重に扱い、本人の名誉欲や自己重要感を刺激し、達成意欲を持続させます。

具体的には、称号を授与する際には、**図-43**のような称号認定証を発行するとよいでしょう。認定証に記載する文言には、ありきたりのものではなく、どのように悪戦苦闘し、どのようにゲームに勝利したかというオンリーワンメッセージが伝わるようにします。

称号を授与するタイミングも重要です。多くの社員、できれば全社員が集う場で授与するとよいでしょう。その際には、称号を授与された本人から称号獲得に対する想いを熱く語ってもらいましょう。

図-44のように称号を名刺に記載するのも効果的です。「セールスマスター☆☆☆」などと名刺に記載することで本人の自己重要感が高まることはもちろん、商談前の話題としてアイスブレイクのきっかけになりますし、自社のゲーム化による人材育成の取り組みを社外にアピー

図-43 称号認定証の例

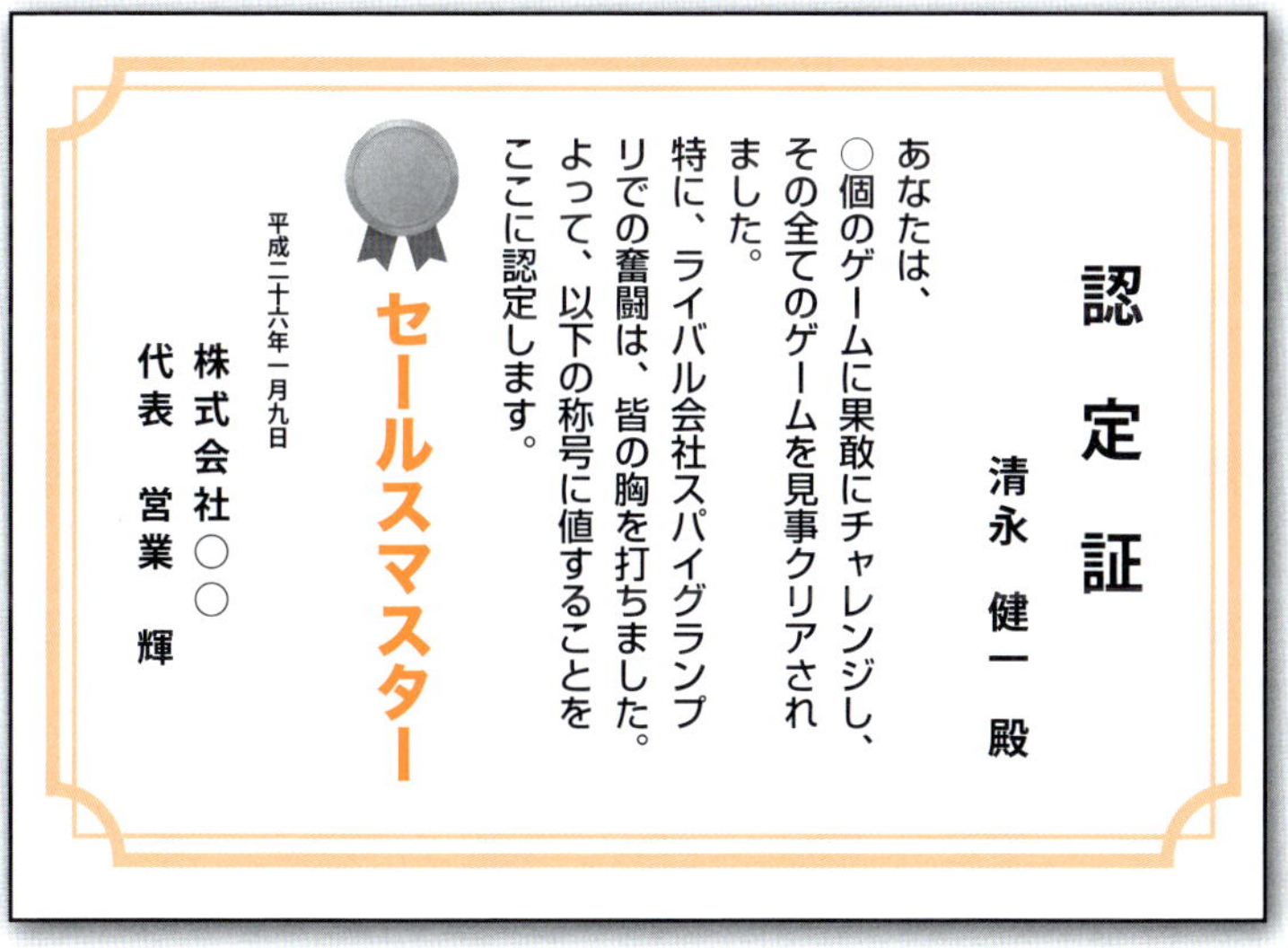
認定証

清永 健一 殿

あなたは、
○個のゲームに果敢にチャレンジし、
その全てのゲームを見事クリアされ
ました。
特に、ライバル会社スパイグランプ
リでの奮闘は、皆の胸を打ちました。
よって、以下の称号に値することを
ここに認定します。

セールスマスター

平成二十六年一月九日

株式会社○○
代表 営業 輝

ありきたりの文言は使わず、称号を与えられる人がどのように仕事に取り組んだかというオンリーワンメッセージが伝わるようにする。

図-44 称号の名刺記載の例

NIコンサルティングでは、
コンサルタント養成講座の修了回数に応じて、★を付与し、
「NI経営コンサルタント★★★」と名刺に記載しています。

ルするきっかけにもなります。このようにして称号自体の価値を高めることを考えていきます。

ラジオ体操の原理で自発的に参加したくさせる

すでに述べたとおり、スキルアップゲームやチームワークゲームには実業務に組み込んで行うＯＪＴ（オン・ザ・ジョブ・トレーニング）型のゲームと実業務を離れて行うＯｆｆ‐ＪＴ（オフ・ザ・ジョブ・トレーニング）型のゲームがあります。「購買要因探索ゲーム」「キーマン・サーチ・ロールプレイングゲーム」「昨日の晩ごはん　的中ゲーム」「ポジティブストローク・ゲーム」「聞き上手・伝え上手養成　伝言ゲーム」が実業務を離れて行うＯｆｆ‐ＪＴ型のゲームです。

このようなＯｆｆ‐ＪＴ型ゲームの場合、その開催が長期間にわたる場合、参加率が下がってしまうことがあります。そのようなことを防ぐために、自発的に参加したくなる仕掛けがあれば、なおよいと言えます。

つい自発的に参加したくなるための仕掛けとして、ラジオ体操のスタンプカードの原理を活用するとよいでしょう。**図‐45**のようなスタンプカードを用意します。Ｏｆｆ‐ＪＴ型ゲームに参加した場合、参加した日付のスタンプを押してあげるのです。もちろんスタンプの数は、称号付与に大きく影響するということを事前にアナウンスします。

スタンプ欲しさについつい早起きしてしまったラジオ体操の原理を応用して、ゲームへの自

図-45 スタンプカードの例

スタンプ欲しさについつい早起きしてしまったラジオ体操の原理を応用して、ゲームへの自発的参加を促す。

発的参加を促しましょう。

たとえば、私たちNIコンサルティングでは、「経営コンサルタント養成講座スタンプラリー」を実施しています（図-46）。

年間40回の講座に出席すると、1回ごとにスタンプラリーカードにスタンプがもらえます。このスタンプが40個集まると、ファーストステージクリアで、名刺に☆が1つつきます。さらに40回受講して、セカンドステージクリアで、☆が2つ。3回目の40回受講で、最終ステージクリアとなって☆3つとなります。

3年間の長丁場を乗り切るために、バッジ効果やコレクション効果を用いてゲーム化しているわけです。

日々、忙しい業務がある中で、年間40回の受講はスケジュール的にも調整が難しいのですが、このスタンプラリーカードがあることで、多くの社員が実際に「スタンプが空欄になるのがイヤで、なんとか業務をやりくりして出席してしまう」と言っています。

自己効力感を増幅するゲームにする

本書では、ここまで、だれにでも比較的容易に取り組めるものを中心に、7つのスキルアップゲームと5つのチームワークゲームを取り上げました。

図-46 NIコンサルティングのスタンプカード

年間40回の受講はスケジュール的に調整が難しいのですが、このカードがあると、なんとか出席しようとがんばってしまいます。

（NIコンサルティング社員H氏談）

この、「だれにでも比較的容易に取り組める」という点が、営業マンの成長を促進するポイントです。だれにでも比較的容易に取り組むことができ、だれでもゲームの勝者になることができるようにすることで、やればできるという自信（＝自己効力感）を感じやすくさせましょう。自己効力感を感じればゲームのプレーヤーはますますゲームにのめり込みます。

心理学者のアルバート・バンデューラは、編著書『激動社会の中の自己効力』（アルバート・バンデューラ編、本明寛、春木豊、野口京子、山本多喜司訳、金子書房）の中で、自己効力感は、次の３つの体験によって育てられると言っています。

①成功体験

自分が忍耐強い努力によって障害に打ち勝つことができた体験

②代理体験

自分と同じような能力だと認識する他人が努力して成功するのをみる体験

③社会的説得

信頼できる人から「やればできる」と説得される体験

ゲームの進捗をソーシャル共有し、自分以外の他のメンバーがゲームに勝つのを見て、「あいつにできるならおれにもできるはずだ」と思うことは、②代理体験にあたります。ゲーム中に上司や先輩から「君ならできる。期待しています」と激励（即時フィードバック）を受けることは、③社会的説得にあたります。②代理体験や③社会的説得を通じて、自己効力感を抱けば、ゲームへの取り組みにのめり込むのです。取り組みにのめり込めば①成功体験を得やすくなります。

スキルアップゲームやチームワークゲームに取り組む際には、ゲームのプレーヤーである営業マンに自己効力感を持たせるために、少し大げさに激励してあげましょう。

経験が浅い若手が優勝した時には、他のメンバーが「あいつが優勝できるならおれも本気でやろう！」と思うように、いつも以上に称賛してあげるのもよいでしょう。

このように営業マンに自己効力感を持たせることを意識して、営業マンの成長スピードを速めていくのです。

エピローグ

ゲーム化の限界を知った上でそれでも営業を楽しむ

そもそも営業はゲーム化しやすい

これまで、営業のゲーム化についてさまざまな角度から考えてきました。ここまで読んでいただき「営業って意外とゲーム化しやすいんだなぁ」と思った方も多いのではないでしょうか。そのとおりです。営業はゲーム化しやすいのです。

私たちは、経営コンサルタントとして営業職以外の人や非営業部門を指導することもあります。他の部署の人には申し訳ないですが、営業の仕事は非常に達成感を味わいやすい職種なのだと実感しています。

たとえば、総務部門や経理部門などの内勤業務や工場での仕事の場合、日々の業務の中で、何かを達成する瞬間や何か受注したという成功の瞬間がほとんどないのです。あっても営業と比べてかなり少ないのです。だから一日の仕事が終わって、「ふぅ〜、やっと今日の仕事が終わった」という感じになってしまいます。達成感というよりも、脱力感や虚脱感と言うべき感覚ですね。「やったー」とか「よっしゃー」とか「うおぉぉ」といった感覚があまりありません。仕事のスパンが長いからでしょう。日々の達成感という感じにならないのです。商品開発や研究開発となるとさらにスパンが長くなります。チームワークゲーム②「他部門インタビューBINGO!」で見たように、職種ごとにそれぞれ達成感があるにはあるのですが、やはり営業部門の方が、その数と頻度が高いと言えます。

日々、「よっしゃー」という達成感を味わえるのが営業の仕事です。営業の仕事は、目標が常に明確で、それに対する達成度や評価がすぐにわかるので、達成感を得やすいわけです。ゲーミフィケーション成立の4条件の④《達成報酬の魅力》があらかじめ備わっていると言ってもよいでしょう。これは他の職種と大きく違う点だと思います。

受注の瞬間、注文書が届いた瞬間、目標を達成した瞬間、「うおぉぉぉ〜」という達成感や喜びを感じたことはありますか?

もし、なかったら、目標達成していないということなのでしょうか? それなら達成しましょう。達成したらわかります。

私(清永)は生まれて初めて受注した時のことを鮮明に覚えています。和歌山県の建設関係の会社から社員教育ビデオ(当時はDVDではなくVHSのビデオテープでした)を買ってもらいました。購入を決めていただいた時は、思わず客先のフロア全員に聞こえるほどの不自然なくらい大きな声で「ありがとうございました!」と言ってしまいました。あまりにもうれしかったので、何度も何度も繰り返しお辞儀をし、誤っておでこをハンガーラックに思いっ切りぶつけてしまい、フロアの人たちから爆笑されたことを今でもはっきり覚えています。それほどうれしかったのです。

このように、そもそも営業という仕事は、達成したかしなかったかが明確で、ゲーム化しやすいのですから、本書のノウハウを活用し、営業をゲーム化すれば、なおさら熱中して取り組めるはずです。ぜひ、営業のゲーム化に取り組んでもらいたいと思います。

営業とは壮大なゲームである

しかも営業という仕事は、営業マン1人ひとりにとってゲーム化しやすいだけではありません。事業活動の一機能として「営業機能」を考えた際にもやはりゲーム化しやすいと言えます。

「自社商品に惚れ込めば、必ず売れる！」

「売れないのは、自社商品を愛していないからだ！」

こんな風に言ったり、言われたりしたことはないでしょうか。営業マネージャーの中には、自社商品について妄信的に愛着を持つことを勧める人が少なくないようです。

このように言われた営業マンが「自社の商品は最高だ。どこにも負けない」と本気で思っているのであれば、「はい！」と答えることができるでしょう。

しかし、現実には「他社よりも劣っている」「もっと改善してほしい部分がある」と心の奥底で思っている営業マンが少なくないはずです。

本書をここまで読んでくれた読者はわかると思いますが、私たちは、自社商品を最高だと思えない営業マンを非難したいわけではありません。自社商品を他社よりも劣っていると思ってしまうことは決して悪いことではありません。自社の商品に無理をして惚れ込んでしまうと、あばたもえくぼ状態になって、客観的に自社商品を見ることができなくなってしまうからです。

営業マンの正しい姿勢は「自社商品を自ら惚れ込めるようなものに育てるための仮説検証を繰り返す」ことです。

「うちの商品はいまいちだ」

「高いから売れないんだ」

「他社の商品の方がすぐれている」

このように思っているなら勇気を出して発言してみましょう。批判で終わらず、どうすればいいのかアイディアも添えたいですね。管理職、経営者の方は、現場の生の意見として、まずは聞いてあげてください。

発言した勇気ある営業マンは、せっかく顧客から要望を聞いてきたのです。それを商品改良に活かそうと考えて、営業会議で報告したわけです。会社にとってよかれと思っての行動です。それなのに、褒められるどころか、「売れない言いわけをする卑怯者《ひきょうもの》め！」と怒られてしまったりすることがあるのです。これは残念だし、もったいないことです。

私たちはそうした企業によく遭遇します。そして、そのことに大きな疑問を感じます。「せっかくのアイディアなのにもったいないなぁ」と思うのです。

世にある多くの営業マン研修や営業スキル教育は、いかにして売るか、どうやってねじ込むかを教えるというものが主流です。「NOと言わせない営業トーク」や「必ず買うと言わせるクロージング」を教えています。これでよいのでしょうか。よいはずはありません。

営業マンは、顧客からの商品に対する要望や不満をよく聞いて、仕入部門や製造部門に伝えながら商品改良の先頭に立つべきなのです。ただ与えられたものを売り込むのではなく、自分たちで考え、自分たちで工夫したものを売った方が楽しいでしょうし、売れた時の喜びも大きいはずです。

営業マンの仕事は、売ることだけではありません。営業マンは単なる売り子ではないのです。営業マンはスパイとして客先に潜入しマーケティング活動を行います。「自社商品が劣っているところ」や「ライバル企業との価格差」「自社商品に不足している機能」など、顧客の「生の声」を聞き出して、時には声なき声も吸い上げて、それを開発部門や仕入部門など社内にフィードバックすることも営業マンの重要な仕事なのです。

たとえば、顧客の声をもとに、次のように社内に伝えるのです。

「自社商品は、新機能を搭載したライバル社にシェアを奪われています。うちが同じような機能を搭載すればブランド力があるから、すぐにシェアを奪い返して売上も3倍に伸びるはずです」

上からモノを言っても反発されてしまいます。PART３の「スキルアップゲーム」やPART４の「チームワークゲーム」で磨いた力を発揮しましょう。相互信頼に基づいて、顧客価値（この場合の顧客は社内の他部門です）を提示して、社内の開発部門や仕入部門を動かすのです。このような活動を続けることによって、イノベーションが起こります。自社商品が自分も惚れ込めるようなものに育っていくのです。

このように言うと、そんなに簡単にイノベーションなど起こせない、という反発の声が聞こえてきそうです。ここまで読んで、ヒット商品開発や商品改良などのイノベーションを起こすことはむずかしいと感じた方もいるかもしれません。そう思った方は、ドラッカーの智恵に学ぶとよいでしょう。

ドラッカーは、１９７４年に上梓した著書『マネジメント――課題・責任・実践』（Ｐ・Ｆ・ドラッカー著、上田惇夫訳、ダイヤモンド社）の中で次のように述べています。少し長いですが引用します。

「企業が存在しうるのは、成長する経済のみである。少なくとも、変化を当然とする経済においてのみである。そして企業こそ、この成長と変化のための機関である。

したがって企業の第二の機能はイノベーションすなわち新しい満足を見出すことである。

企業そのものはより大きくなる必要はないが、常により良くならなければならない。

イノベーションの結果もたらされるものは、より良い製品、より多くの便利さ、より大きな欲求の満足である。

既存の製品の新しい用途を見つけることもイノベーションである。

イヌイットに対して凍結防止のために冷蔵庫を売ることは、新しい工程開発や新しい製品の発明に劣らないイノベーションである。

それは新しい市場を開拓することである。凍結防止用という新しい製品を創造することである。

技術的には既存の商品があるだけだが、経済的には、イノベーションが行なわれている。

イノベーションとは、発明のことではない。技術のみに関するコンセプトでもない。経済に関わることである」


（『マネジメント』P・F・ドラッカー　ダイヤモンド社）

イヌイットとは、カナダ北部などの氷雪地帯に住む先住民族の1つです。極寒の氷雪地帯に住む人に、凍結防止という新しい用途で、冷蔵庫を販売することは、新しい製品を創造することと同じく立派なイノベーションであるとドラッカーは言っているのです。

ドラッカーの言うとおり、イノベーションとは、商品の開発や改良など商品スペックに関わるものだけでなく、販売方法や使用方法に関するものでもあるのです。そのように考えれば、マーケットには営業マンがアンテナを張り巡らせておくべきことが溢れているのではないでしょうか。

売り子としてただ与えられたものを販売するのと、自分たちで考え、自分たちで工夫したものを、自分たちで考えた販売方法で売るのとではどちらが楽しいでしょうか。後者の方が楽しいことは明らかですね。

マーケティングとイノベーションを統合しリードする真の営業とは、『これはお客さんのお役に立つぞ！』と仮説した商品やサービスをマーケットにぶつけてみて、検証しながら成果を出す」活動なのです。そのために、お役に立つには何をすべきなのかを明確にします。そして、すべきことを先行指標で見える化しつつ、上司、同僚や他部門から即時フィードバックを受けながら、実行していきます。すると業績がアップし、ボーナスという報酬が増えます。

もうおわかりですね。営業とは、企業力を高め、業績を向上させていく壮大なゲームなのです。

営業のゲーム化は万能ではない

しかし、残念ながら営業をゲーム化すればそれだけで万事ＯＫというわけではありません。営業のゲーム化には強力なパワーがあり大きなメリットがある一方、力が強いだけに注意しておかなければならない限界というものもあるのです。ここからはゲーム化の限界について触れた上で、営業という仕事ならではのむずかしさをどう乗り越えていくかということについて踏み込んで考えていきます。

人が動機付けられる要素は、大きく「外発的動機付け」と「内発的動機付け」の２つに分けることができます。

外発的動機付けとは、自分の外にある目標（義務、強制、賞罰）によってもたらされる動機付けのことです。この外発的動機付けはさらに２つに分かれます。１つは、「回避モチベーション」です。回避モチベーションによる行動は、たとえば、訪問件数が少ないと営業部長に怒鳴られてしまう、怒鳴られるのが怖いから取り組む、というものです。目標から遠ざかる行動をとることがその特徴です。

もう1つは、「接近モチベーション」というものです。接近モチベーションとは、たとえば、たくさん訪問すると社長から褒められる、社長に褒められると誇らしいから取り組む、というものです。目標に近づく行動をとることがその特徴です。

一方の内発的動機付けは、自分の内側にある好奇心や興味・関心によってもたらされ、他者からの賞罰に依存しません。自ら取り組み、工夫し、創造性を発揮する点がその特徴として挙げられます。

たとえば、たくさん訪問しても褒められないし、訪問件数が少なくてもだれにも文句を言われないけれど、顧客訪問をするたびに新たな発見があり自分自身の見識が深まって楽しいから訪問件数を増やす、という行動は内発的動機付けによるものであると言えます。

営業のゲーム化による動機付けは、多くの場合、外発的な接近モチベーションにあたります。「ゲームか、よし！　一番になってみんなに認めてもらうぞ！」と思って取り組むわけです。場合によっては回避モチベーションであるケースもあるかもしれません。「ビリになったらカッコ悪いからがんばろう」と思う場合は回避モチベーションに促されていると言えるからです。いずれにしても、営業のゲーム化は外発的動機付けを起因にして動かすものなのです。このことは営業のゲーム化には限界があることを示しています。

動機付けを図解すると**図-47**のようになります。動機付けの質は、左に行けば行くほど低く、右に行けば行くほど高くなります。動機の継続性という点を考えてみると、右に行けば行くほ

図-47 人はどんな時に動機付けられるか？

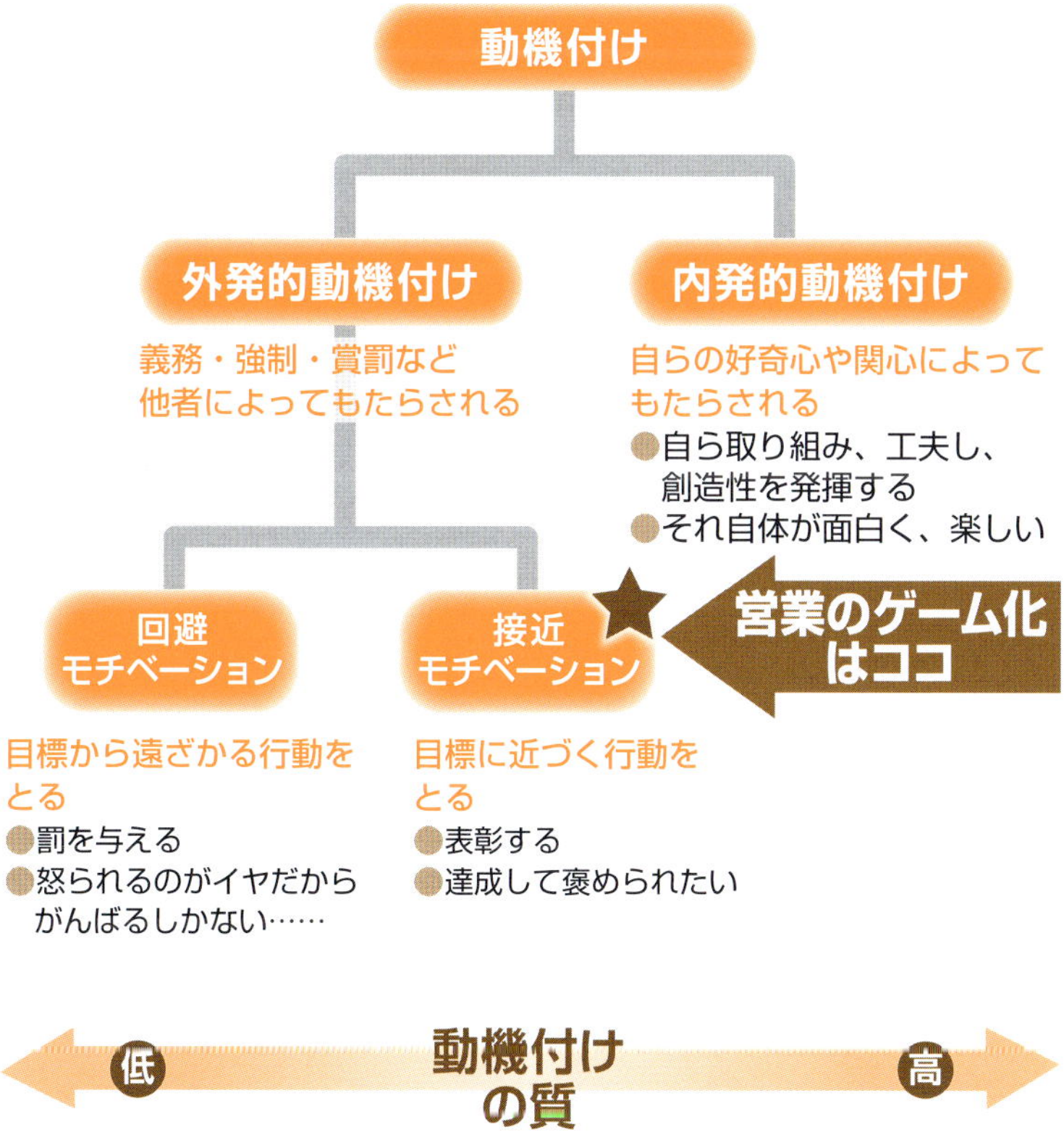

「営業のゲーム化」は外発的動機付け。

ど継続性が高くなることに気づきます。たとえば、サボると怒られるから顧客訪問をする、という回避モチベーション状態の場合、怒る人が目の前からいなくなれば、サボります。これは継続性が低いということです。

また、年間営業成績トップになる、という目標に向かって営業活動をする接近モチベーション状態の時は、その意欲が一年間は続きます。しかし、強力なライバル社員の出現などによって年間トップになることが物理的に困難な状況に陥ると、1年を経過する前に意欲がなくなってしまうこともあるでしょう。

一方、仕事そのものに興味・関心がある内発的動機付け状態なら、1年間どころか一生継続して仕事に熱中し続けます。

次に、創造性という観点で考えてみましょう。罰から遠ざかろうとする回避モチベーションの時に創造性が発揮されることはほとんどありません。表彰を勝ち取ろうとする接近モチベーションの時には創造性が発揮されますが、それは、自分の内側にある好奇心や興味・関心によって行動している内発的動機付け状態の時の創造性にはかないません。

このように外発的動機付けには限界があるのです。PART2で触れたゲームに熱中しすぎて暴走してしまう人は、外発的動機付けに支配されていたから暴走してしまったと言えます。

このように考えると、ゲームで踊らせる、ゲームに踊らされるだけで果たしてよいのだろうか？という疑問が浮かんできます。

最初は外発的でも徐々に内発的に変えていく

では、どうすれば、ゲーム化の限界を超えることができるのでしょうか。目指したいイメージは、図-48のようなものです。

「おい！　お前、せめて給料分くらい稼いでこい！」と回避モチベーションを刺激すると、「もうダメだ〜。おれには無理だ〜」となって、退職するような人も出てきてしまいますから、「営業をゲーム化して楽しもうよ」と接近モチベーションを刺激します。

すると、最初はしぶしぶでも「ゲームかぁ。まぁ乗せられてみるか」と取り組みを始めます。この段階ではまだ、外発的に動機付けられた状態です。すると、やっているうちに「なんか、だんだんうまくなってきたかも」となり、さらに「あれ？　なんか楽しくなってきたかもしれない」と思うようになります。徐々に内発的動機付けが芽吹いてきています。

そして、最終的には「あ！　おれ、営業の仕事好きかも。いろいろ工夫してみよう」と内発的動機付け状態になります。

これと似たようなことが、笑いと身体の関係にもあります。

笑いヨガというメソッドをご存じでしょうか？　私（清永）は笑いヨガ・リーダーとしての活動もしているのですが、笑いヨガとは、

①笑うために冗談とか面白いことを使わない「笑いの健康体操」で、面白くなくても笑うエクササイズです。最初は体操として笑います。みんなで集まって笑うことで、笑いが伝染していき、だんだんと無理なく笑えるようになるものなのですが、おかしくなくてもよいのです。

②「笑いの体操」と「ヨガの呼吸法」を組み合わせているところから「笑いヨガ」という名前がつけられています。酸素をタップリ取り入れられるので、健康と活力を実感できます。

③体操としてのにせものの笑いでも、おかしさを感じて笑う本物の笑いでも、身体は区別ができず、健康への効果はまったく同じであるという科学的根拠に基づいた方法です。にせものの笑いでも、本物の笑いと同じく、身体や心に良い影響を与えるわけです。

④1995年インドのムンバイの医師　マダン・カタリア氏がたった5人で始めたものですが、現在では世界70か国に広がっています。

というものです。

ここで強調しておきたいのは、「体操としてのにせものの笑いでも、おかしさを感じて笑う本物の笑いでも、身体は区別ができず、健康への効果はまったく同じである」という点です。

このことは、最初は気乗りせずに取り組んでいても、最終的には内発的動機付けで取り組む

図-48 外発的動機付けから内発的動機付けへ

内発的動機
あ！　おれ、
営業の仕事好きかも！
よし！　ちょっと工夫してみよう
なんか、だんだん
うまくなってきたかも？
あれ？
なんか楽しくなって
きたような気がするぞ
ゲームか？
まぁ乗せられてみるか
外発的動機付け
（接近モチベーションを刺激）
営業をゲーム化して
楽しもうぜ
外発的動機
もう、イヤだぁ
外発的動機付け
（回避モチベーションを刺激）
おい！
給料分くらい稼いでこい!!
退職・・・

ゲームのパワーで内発的動機付けに移行させていく。

ようになるという「営業のゲーム化」の目指したいイメージと重なります。

最初は、外発的動機付けによるやらされ感満載でも構わないのです。ＰＡＲＴ２の「業績アップゲーム」やＰＡＲＴ３の「スキルアップゲーム」、ＰＡＲＴ４の「チームワークゲーム」によって営業をゲーム化し、面白く取り組めるようにしながら、応援や激励による即時フィードバックから、バンデューラが言う社会的説得や代理経験により自己効力感を得やすくします。自己効力感を持てば、さらにゲームにのめり込みます。ゲームにのめり込めば、ゲームに含まれている学習クエストによって成長を遂げます。成長して営業スキルやチームワーク意識が向上すれば、営業活動そのものが面白くなって、内発的動機付けでイキイキと営業をするようになるのです。

「内発駆動トライアングル」個人と組織の対等性の認識

内発的動機付けでイキイキと働くためには、組織内に「内発駆動トライアングル」(図－49)が満たされていることが必要です。「内発駆動トライアングル」は、①ビジョンの共有、②個人と組織の対等性の認識、③自己発働、という3つの要素によって成り立っています。ここでは、「内発駆動トライアングル」のうち、営業マンにとって特に重要となる「個人と組織の対等性の認識」について見ていきます。

自分が組織全体の中の歯車に過ぎず、取るに足りない存在だと思っていては、内発的動機付けでイキイキと働くことなどできるはずがありません。そうではなく、組織には「真・善・美」のストーリー、つまり世のため人のためになる共感ストーリーがあり、組織がそのストーリーを達成するために、自分の果たす役割が大きく、自分が組織全体に影響を与えていくことのできる存在なのだという認識があればこそ、内発的動機付けで仕事に取り組むことができるのです。

ややもすると私たちは、会社が上で社員は下だ、というような気になります。会社という絶対的な存在があって、社員は会社に従属していて虐げられている、従わさせられていると思ってしまうのですが、決してそうではありません。1人ひとりが会社全体をつくっているし、1人ひとりに会社を変えていくパワーがあるのです。「会社」というけれども、実際に「会社君」「会社さん」なんて人はいません。会社は社員全員の集合体に過ぎないのです。これが個人と組織の対等性の認識です。

個人と組織の対等性の認識を持つことは、営業マンに限らず組織で働いているすべての人に共通して重要ですが、営業マンの場合は、非営業部門の人よりも、この認識を持つことの重要性が高いと言えます。若手営業マンなどに次のように声をかけることがあると思います。

「外に出たら自分を会社の代表だと思えよ。お客さんはお前を通してうちの会社を見るんだからな。お前がボケッとしてたら、うちの会社がボケッとした会社だと思われてしまうんだぞ。だからビシっとしていけよ」

どこの会社でもよく耳にするセリフです。このセリフは、営業マンは、たった1人でも会社を代表した存在である、ということを意味しています。つまり、営業という仕事は、あらかじめ、個人と組織が対等な存在なのだと認識しやすくなっているのです。

ところが、この「営業マンは会社を代表している」ということを、つらく、苦しいと思ってしまう人がいます。責任の重さに耐えきれず、自分が被害者になったかのように思ってしまっているのです。

そうではなくて、「営業マンは会社を代表している」という点を、会社を代表して活躍する図-49 ゲーム化の限界を超える「内発駆動トライアングル」

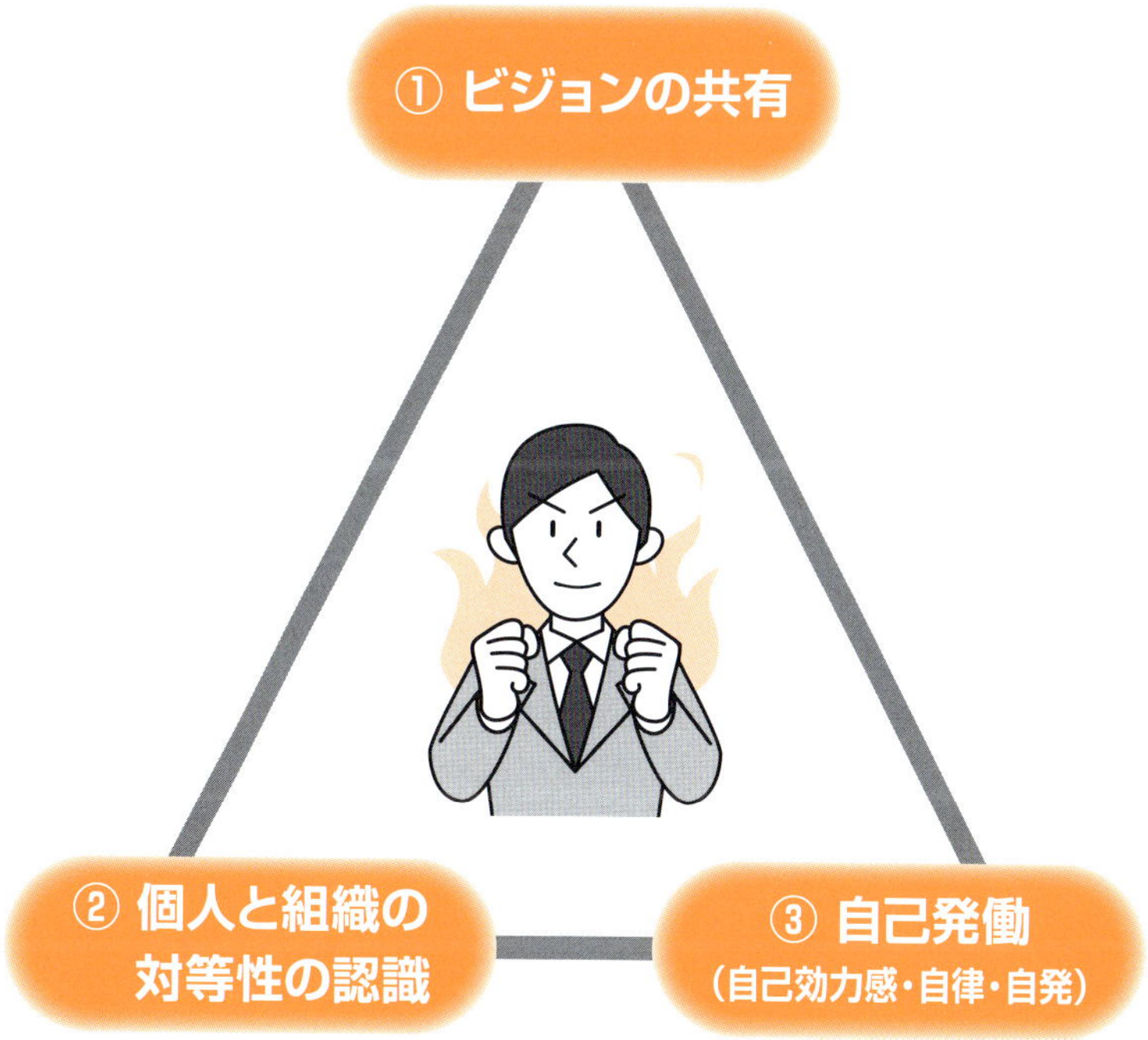

ことができるやりがいの大きい魅力的な業務なのだととらえてほしいのです。どうせなら営業という仕事を、「個人と組織の対等性の認識を持ちやすい、素晴らしい仕事だ」と前向きにとらえながら内発的に取り組んでいきたいものです。

「そんなに一筋縄にはいかない。営業はいろいろ大変なのだ」という人に……

もしかすると読者の方々は、本音では「そんなに一筋縄にはいかない。営業はいろいろ大変なのだ」と思っている人もいるかもしれません。そう思う背景は大きく分けて2つあります。

1つ目は、理想と現実の存在です。私たちは、社長さんが全社員を集めて講話をする場面に同席することがよくあります。その時社長さんは、「私たちは良い商品を誠心誠意一生懸命つくるんだ。そしてつくったらそれをより安く売るんだ。世のため、人のために我々は事業を行うのだ。真・善・美だ！」とおっしゃるのです。すると社員さんも「おー！　そうだっ！　いいぞ」と歓声を上げます。

私たちはその全社会議の後に開催される営業部門だけで行う営業会議にも出席することがあります。すると営業部長がスピーチしています。その内容は先ほどの社長の話とはまったく違います。営業部長は「なんだ、お前、この数字は！　いいか、理想と現実は違うんだぞ！　今月のこの数字を見てみろ！　何やってるんだ。何でもいいから、とにかく売ってこい！」と発破をかけています。

その場にいる営業マンは心の中ではこう思っています。「何でもいいから売ってこい？　さっき社長は世のため人のためって言っていたのに……」。

「世のため人のため」と言う社長が理想で、「とにかく売ってこい！」と叫ぶ営業部長が現実です。社長も営業部長もどちらもウソをついているわけでも建前を言っているわけでもありません。

せっかく会社を経営しているのだから「世のため人のためになることをしよう」というのは社長の本音でしょうし、月末数字が厳しい時などに「何でもいいからとにかく売ってきてほしい」と考えるのも営業部長の本音です。

そして、実際にはバランスが重要です。「世のため人のためだ」と言いすぎると、そのことを曲解して「利益など考えずにお客様の言うとおりにすべきだ」と考え、わがままな顧客の無理難題を引き受けて収益を悪化させてしまうことになりかねません。

一方、「とにかく売る。数字が一番大事だ」と考えすぎると、口八丁手八丁のオーバートークでだまして売りつけてクレームをもらってしまうことになるかもしれません。綺麗ごとだけではダメですし、自社都合だけでもダメなのです。

では、営業マンは、相反する2つの命題の狭間でもがき苦しむしかないのでしょうか。ある時は「世のため人のため」、ある時は「売ってナンボ」と都合よく風見鶏のように立場を変えながら世を渡っていくしかないのでしょうか。

決してそんなことはありません。「数字がすべてだ。売ってナンボだ」と言わざるを得ない局面があるという現実を受け入れた上で、それでも「世のため人のために事業を行っていく」という理想を目指していくことこそが価値を生むと信じることです。

顧客から「ありがとう」と言われた経験を思い出してみてください。商品を販売し、その代金をいただく営業マンが顧客に対して「ありがとうございました」というのは当たり前なのですが、逆に、顧客側から「ありがとう。○○さんにお願いしてよかったよ」などとお礼を言われることがあります。

本来なら、こちらからお礼を言うものなのに、こちらこそ有難い、何ともうれしいことです。こういう瞬間が営業マンの醍醐味です。本当に顧客と同志、パートナーになった感じです。この瞬間は、「世のため人のため」という理想と「売ってナンボ」という現実が両立しているはずです。

目の前の顧客のために、何とかお役に立ちたい、お役に立つはずだ、という「世のため、人のためだ。真・善・美だ」という気持ちで誠意を持って取り組んだ結果、購入してもらえ、「売ってナンボ」という命題もクリアすることができ、しかもその上、「ありがとう」と言ってもらえたなら最高です。私たちは、むずかしくてもそれを目指すべきなのです。うまくいかないこともあるでしょう。そんな時は、ＰＡＲＴ３のスキルアップゲーム⑥「ハッピーボイス・ストーリーテリング」に再度取り組んで、顧客価値提案力を高めていきましょう。

簡単なことではありませんが、「数字がすべてだ。売ってナンボだ」と言わざるを得ない局面があるという現実を受け入れた上で、それでも「世のため人のために事業を行っていく」という理想を目指していることにプライドを持って取り組み、ゆくゆくは、イノベーションを引き起こし、無理に売り込まなくても選んでいただける本物を目指していくべきなのです。

顧客の反応が生でシビアに返ってくる営業は即時フィードバックの連続

「営業はいろいろ大変なのだ」と思う背景の2つ目は、顧客からのネガティブな反応に意気消沈してしまうケースです。自分では「世のため人のため」と思い、誠心誠意、顧客価値を提案しても、わかってくれない顧客もいます。時にはむげに断られたり、時には犬や猫のように「もう二度と来んな。シッ、シ」とあしらわれてしまうこともあるかもしれません。

営業の現場では、当然お金の話も出ますからシビアな交渉もあります。値切られたり、無理難題を言われたり、じらされたり、急かされたり、怒鳴られたりもします。お金が絡んだ瞬間に、人間の醜いところや汚いところを見せられることもあります。確かに、「一筋縄ではいかない。営業はいろいろ大変なのだ」と思う気持ちもわかります。

しかし、顧客側の立場で考えてみるとどうでしょうか。その買い物には、会社の存亡がかかっていたり、その人の人生がかかっている場合もあるでしょう。時には年収の何倍もの買い物をして、何十年というローンを背負ったりすることもあるかもしれません。買う側も必死なのです。真剣勝負なのです。少々ネガティブな反応をされたからといって意気消沈している場合ではありません。一度、むげに断られたからといってそれが何だというのでしょうか。PART3のスキルアップゲーム①「購買要因探索ゲーム」を思い出してください。断られたら、なぜ断られたかを確認して再チャレンジすればよいのです。

むずかしいゲームほどクリアしがいがあるものです。むずかしいゲームに出会って、「よし。いっちょやったるか！」と腕まくりをした経験がある人もいると思います。営業は真剣勝負です。顧客の反応が、ネガティブなものでもポジティブなものでも生でシビアに返ってくるのが営業の仕事です。まさに即時フィードバックです。

CDが売れたり、ダウンロード数が増えたりするのもうれしいけれども、ファンと生で向き合えるライブやコンサートが好きだというアーティストがいるのと同じような感覚でしょうか。映画やテレビドラマに出演するのもいいけど、生の舞台は止められないという俳優と同じような感覚でしょうか。自分のパフォーマンスがどれだけ観客に響いているのか、どんな反応なのかを肌でビンビン感じるのがいいのでしょう。

営業の仕事も同じように、顧客の反応を肌でビンビン感じる生のライブです。商談していてわかりますよね。顧客の反応がいいか悪いか。表情やうなずき具合も違いますね。相手が少ないから、路上ライブみたいな感じでしょうか。1人でも2人でも聴いてくれる人がいて、ノッてくれて、一緒に歌ってくれて、聴衆が3人、4人と増えていく。自分の価値を生で問われる瞬間です。

お笑い芸人なども生の舞台で鍛えられるそうです。ステージに出て、漫才でもコントでも落語でも生で客の反応を感じることが芸を磨くことになるのでしょう。そこで大切なことは場数でしょう。やはり数を積み重ねていくことで力がついてきます。一発ギャグが当たって一気に有名になる人よりも、寄席や演芸場で場数を踏んできた芸人さんの方が、実力があるような気がしませんか。そういう人は地味でも息が長いですね。

営業の仕事はまさに生の舞台で、シビアに私たちを鍛えてくれます。営業の場では、顧客も言いにくいことをズバズバ言ってくれたりするものです。普通の知り合いなら絶対に言わないでしょと言いたくなるようなキツいことも言われたりします。それが本音の反応なのです。表面上取り繕った、耳あたりのいい言葉ではなく、本気、本音、本当の反応が即、返ってきます。そこに日々、自分をさらすことになりますから、生のライブや舞台が好きな人にはたまりません。まさにゲーミフィケーション成立の４条件③即時フィードバックです。

少々ネガティブな反応をされたからといって意気消沈している場合ではありません。本気、本音の反応を返してくれたことに感謝しましょう。むずかしいゲームほどクリアしがいがあるのです。営業をしていて苦しい局面に追い込まれた時や顧客から厳しい反応が返ってきた時は、手ごわいゲームに出会ったと思って自らを奮い立たせましょう。その時、あなたはきっとゲーム化の限界を超えて、内発的動機付けで営業という仕事を楽しんでいることでしょう。

おわりに

私が営業マン指導の研修講師だと知ると、「営業マンって大変ですよね」「営業の仕事は客に対してペコペコしないといけないでしょう」「営業の仕事はきついよね」などと言ってくる人がいます。営業をやったこともない人が、わけもわからずイメージだけでこのように言うのはまだ許せるのですが、実際に営業に携わっている人の中にも同じようなことを言う人がいることに驚くと同時に、腹が立ちますし悲しくなります。

きっと、お金を払ってくれた顧客から「ありがとう」と感謝された経験がないのでしょう。顧客からは「買ってやった」という傲慢な態度をとられてばかりなのでしょう。だから、営業という仕事に携わっている自分を卑下してしまうのでしょう。なぜそうなってしまうのでしょうか。

それは、その営業マンが、一方的な売り込みばかりしているからです。

こちらの都合を押し付けるような売り方をしているからです。

都合のよい時やお願いする時だけ、自らへりくだって顧客の下に潜り込んでいるのでしょう。悲しいことです。こういう人は営業に対するとらえ方を間違っているのです。

私は、営業マン研修の際に、営業という仕事を次のようにとらえるように指導します。

①営業とは、やみくもに売り込むのではなく、断られることを前提として、なぜ断られたかを情報収集する活動である

②営業とは、単に与えられたモノを売る「売り子」のような仕事ではなく、マーケットからの反応を社内にフィードバックして商品や販売方法をブラッシュアップすることでイノベーションを生み出す活動である

これらの内容は、込み入った話でもむずかしい話でもないので、ほぼ全員が理解してくれます。しかし、研修室を出て日常業務に戻ると、研修で習ったことを忘れ、これまでどおりのとらえ方で営業をしてしまうのです。実感として心底納得していなければ、いくら頭で理解していても営業に対するとらえ方は変わらないのです。

「なんとかして、営業に対する誤ったとらえ方を変え、正しく営業という仕事を認識してもらうことができないだろうか。それさえできれば、どんな営業マンも営業という仕事の素晴らしさに気づくはずなのに……営業という仕事を卑下しながら嫌々仕事をする悲しい営業マンをなんとか救いたい」

このことは、長年、私のテーマであり続けました。このテーマに対する1つの解答がゲーム化です。営業をゲーム化し、ゲームの強力なパワーを使うことで、無理なく自然に営業を楽し

めるようになり、営業の意味を正しくとらえることができるようになります。

ぜひ、本書を手引きに「営業のゲーム化」に取り組んでみてください。

営業のゲーム化をきっかけとして、営業という仕事を楽しみ、しっかり成果を出す営業マンや営業チームが輩出されれば望外の幸せです。

これまでの多くの営業マンの皆様との出会いがあり本書を書くことができました。最後に、多くの気づきを与えてくださいました皆様にこの場を借りて厚く御礼申し上げます。

清永　健一

《参考文献》

『「仕事のゲーム化」でやる気モードに変える』長尾一洋、清永健一（著）実務教育出版
『すべての「見える化」で会社は変わる』長尾一洋（著）実務教育出版
『すべての「見える化」実現ワークブック』本道純一（著）実務教育出版
『営業の強化書』長尾一洋（著）ナツメ社
『営業マンは「目先の注文」を捨てなさい』長尾一洋（著）中経出版
『幸福な営業マン』長尾一洋（著）ダイヤモンド・ビジネス企画
『「営業がイヤだ！」と思ったら読む本』長尾一洋、浜田ブリトニー（著）中経出版
『マネジメント――課題・責任・実践』P・F・ドラッカー（著）上田惇生（訳）ダイヤモンド社
『人を伸ばす力――内発と自律のすすめ』エドワード・L・デシ、リチャード・フラスト（著）桜井茂男（訳）新曜社
『激動社会の中の自己効力』アルバート・バンデューラ（編集）本明寛、春木豊、野口京子、山本多喜司（訳）金子書房
『笑いヨガ――笑うのに理由はいらない』マダン・カタリア（著）高田佳子（訳）日本笑いヨガ協会

著者プロフィール

長尾 一洋（ながお　かずひろ）

株式会社ＮＩコンサルティング代表取締役
中小企業診断士。
横浜市立大学商学部卒業後、経営コンサルティング会社にて人材育成、営業指導、経営計画策定、戦略構築などを行い、1991年、株式会社ＮＩコンサルティングを設立し代表取締役に就任。現在に至るまで、上場企業から社員数名の中小企業まで、多くの企業で企業体質強化に取り組んでいる。自社開発した可視化経営システムは、3000社を超える企業に導入され、営業力や仮説検証力の強化を実現している。
【著書】『「仕事のゲーム化」でやる気モードに変える』（共著）『すべての「見える化」で会社は変わる』『ＩＴ日報で営業チームを強くする』（以上、実務教育出版）、『営業の見える化』『仕事の見える化』『社員の見える化』『営業マンは目先の注文を捨てなさい！』（以上、中経出版）、『孫子の兵法　経営戦略』（明日香出版）など多数。

清永 健一（きよなが　けんいち）

株式会社ＮIコンサルティング　コンサルティング本部　教育研修部長、ゲーミフィケーションコーチ
中小企業診断士、笑いヨガリーダー。

神戸大学経営学部卒業後、株式会社リクルート映像に入社し企業研修、人材育成業務に従事。その後、放送通信会社、株式会社ジェイコムウエストに勤務し、法人向け、個人向け、官公庁向けの様々な営業を経験。課長職を経て、コンサルタントの道に転じる。ＳＭＢＣコンサルティング株式会社にて、人材育成、教育研修講師、コーディネータを経験し、ＮIコンサルティングに入社。

日本企業とそこで働く人をハッピーにすることを使命とし、あるべき論にとらわれない現場密着型の指導・支援でクライアントの支持を得ている。

【著書】『「仕事のゲーム化」でやる気モードに変える』（共著、実務教育出版）

営業のゲーム化で業績を上げる

2014年6月15日　初版第1刷発行

著　者　長尾一洋・清永健一
発行者　池澤徹也
装幀者　萩原弦一郎・橋本 雪（デジカル）
発行所　株式会社　実務教育出版
東京都新宿区新宿 1-1-12 〒163-8671
☎（03）3355-1951（販売）
（03）3355-1812（編集）
振替：00160-0-78270
DTP　株式会社 エスアンドピー
印刷　壮光舎印刷株式会社
製本　東京美術紙工

ISBN 978-4-7889-1076-8 C0034

好評発売中！

リーダーシップのなかった僕が
チームで結果を出すためにした 44 のこと

佐藤達郎　著
コンペ連戦連勝、世界３大広告賞受賞という“普通じゃない結果”を残したチームのリーダーは“普通の人”だった。カリスマじゃなくても強いチームを作れる考え方とスキル。
四六判 /192 ページ / 定価：本体 1400 円 + 税
[ISBN978-4-7889-1074-4]

はじめてリーダーを務める！

西川秀二　著
中堅商社の営業チームのリーダーに突然選ばれた主人公。不安のなか、さまざまな壁を乗り越え成長していく新任リーダーの１年の物語（ストーリー）から学ぶリーダーのあり方。
四六判 /256 ページ / 定価：本体 1300 円 + 税
[ISBN978-4-7889-1075-1]

あなたが上司から求められているシンプルな 50 のこと

濱田秀彦　著
コミュニケーションが希薄な今、上司との意識のギャップを埋めることは、部下にとって重要なスキルです。上司の期待を的確に掴み、評価とスキルアップにつなげよう！
四六判 /224 ページ / 定価：本体 1400 円 + 税
[ISBN978-4-7889-1051-5]

あなたが部下から求められているシリアスな 50 のこと

濱田秀彦　著
部下のリアルな声にはリーダーシップ、チーム運営、部下育成のヒントが含まれている。著者が聞いてきた１万人の部下の本音を集約した、自分もチームも結果を出すための 50 のヒント。
四六判 /192 ページ / 定価：本体 1400 円 + 税
[ISBN978-4-7889-1060-7]

仕事を「一歩先」へ進める力！

生方正也　著
「指示待ちから抜け出したい」「背景を理解して仕事がしたい」「仕事の幅を広げたい」と悩んでいる方のための本。45 の小さなコツがあなたの仕事を確実に前進させる！
四六判 /208 ページ / 定価：本体 1300 円 + 税
[ISBN978-4-7889-1062-1]

経営の「見える化」がよくわかる基本書

すべての「見える化」で会社は変わる
可視化経営システムづくりのステップ

長尾一洋　著

戦略レベルから現場活動レベルまで、さまざまな情報の「ビジュアル化」「オープン化」「共有化」を進め、社員の意識や経営体質を変革していく具体的方法論を提示。

A5 判 /264 ページ / 定価：本体 1800 円 + 税

[ISBN978-4-7889-0753-9]

すべての「見える化」実現ワークブック
可視化経営システムづくりのノウハウ

本道純一　著

可視化経営プロジェクトのスタートから経営コクピットの完成まで、いま注目される経営革新手法を具体的に解説した実践ノウハウ本。35 種のワークシート集を別冊添付。

A5 判 /232 ページ / 定価：本体 1800 円+税

[ISBN978-4-7889-0771-3]

図解ビジュアル　経営の「見える化」

本道純一　著

何をどう「見える化」するのか?　左ページ解説・右ページ図版の2ページ1テーマ構成で、いま注目される経営革新手法のポイントがすっきり頭に入る図解入門書。

A5 判 /200 ページ / 定価：本体 1500 円+税

[ISBN978-4-7889-0790-4]

「仕事のゲーム化」でやる気モードに変える
～経営に活かすゲーミフィケーションの考え方と実践事例～

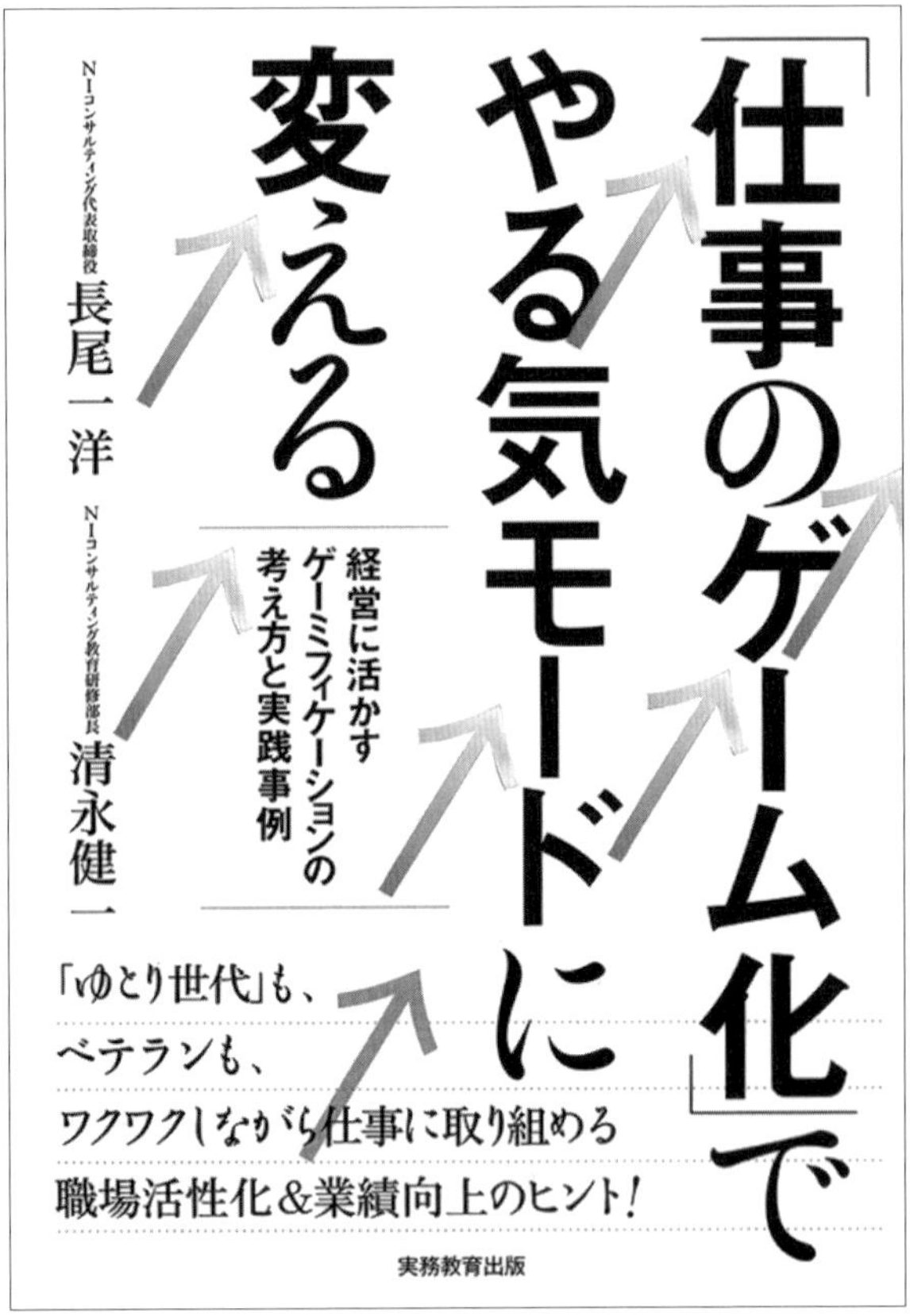

長尾一洋／清永健一　著

ゲームに慣れ親しんだ「ゆとり世代」のモチベーション、組織への定着を促すために、新たな仕事の仕組みが求められている。ゲームのパワーを活用した職場活性化のノウハウ。

A５判／240ページ／定価：本体1800円＋税

［ISBN978-4-7889-0810-9］